JORIS-KARL HUYSMANS

J.-K. Huysmans à Ligugé.

BIBLIOTHÈQUE NATIONALE

JORIS-KARL HUYSMANS

DU NATURALISME AU SATANISME
ET A DIEU

1979

La préface *Huysmans* 1979, les introductions aux chapitres II (*Le Naturalisme*) et V (*Le Satanisme*) et le texte *Pierre Lambert au travail* sont dus à M. Pierre COGNY, président de la Société J.-K. Huysmans ; M. Jacques LETHÈVE, conservateur en chef du Département des Imprimés, a rédigé les chapitres III (*A rebours*) et IV (*Le Critique d'art*), et *Huysmans dans les collections de la Bibliothèque Nationale* ; M. René RANCŒUR, conservateur en chef honoraire à la Bibliothèque Nationale, a rédigé les chapitres VI (*Le Converti*) et VII (*L'Oblat*), et la bibliographie ; Mme Danielle MUZERELLE, conservateur à la Bibliothèque de l'Arsenal, a rédigé le chapitre I (*Les Débuts dans la vie*) et les notices des chapitres II et V ; Mme Françoise PY, conservateur à la Bibliothèque de l'Arsenal, a rédigé le chapitre VIII (*Huysmans et l'Académie Goncourt*) ; la *Chronologie* a été établie par Mlle Marie-Paule JAFFRE, conservateur à la Bibliothèque de l'Arsenal.

La décoration a été conçue par M. Michel BRUNET et réalisée par les ateliers de la Bibliothèque Nationale.

L'organisation administrative de l'exposition est due à M. Jean-Paul CHADOURNE, conservateur, chef du Service des Expositions, et à ses collaborateurs. La présentation et l'encadrement des estampes et photographies sont dus à l'atelier du Département des Estampes et à celui de la Bibliothèque de l'Arsenal, qui a également assuré la présentation des documents dans les vitrines.

Les clichés des illustrations ont été établis par le Service photographique de la Bibliothèque Nationale et par M. LALANCE.

© Bibliothèque Nationale, Paris, 1979

ISBN 2-7177-1490-1

AVANT-PROPOS

Fervent admirateur et connaisseur parfait de l'œuvre et de la vie de Huysmans, le libraire Pierre Lambert aura poursuivi avec une admirable persévérance la réunion d'une collection merveilleusement riche, consacrée au grand écrivain et à ses amis. Bien placé, de par sa profession, pour savoir quel est trop souvent le sort de tels ensembles après la disparition de celui qui les a formés, il avait tenu à léguer sa collection à la Bibliothèque Nationale et, se rappelant que la prestigieuse bibliothèque fondée au XVIIIe siècle par le Marquis de Paulmy et illustrée par Charles Nodier et José-Maria de Heredia, a reçu en dépôt les archives de l'Académie Goncourt dont Huysmans fut le premier président, il avait manifesté le désir que sa collection y fut conservée. Ainsi dix ans, ou peu s'en faut, après l'entrée dans nos collections de ce legs, l'exposition *Huysmans : du Naturalisme à Satan et à Dieu*, constitue d'abord un hommage à l'éminent érudit et au généreux donateur.

Déjà M. Lethève a montré dans un article du *Bulletin du bibliophile* (II, 1972, pp. 184-188) comment l'exposition Huysmans, présentée en 1948 à la Bibliothèque Nationale, avait encouragé Pierre Lambert à poursuivre la quête des documents huysmansiens. Pendant vingt années encore, il a recueilli ou copié des lettres, des manuscrits, acquis des éditions, des photographies, accumulé des renseignements d'une remarquable précision. Les chercheurs qui, du vivant de Pierre Lambert ou depuis, à la Bibliothèque de l'Arsenal, ont eu recours à cet ensemble de documents, en connaissent les ressources et savent combien il contribue à renouveler les études sur J.-K. Huysmans.

Le vœu exprimé par la Société J.-K. Huysmans de voir rendre hommage au grand collectionneur en même temps qu'à l'écrivain qui fut sa passion, ne pouvait que rencontrer la pleine adhésion de l'Administrateur général de la Bibliothèque Nationale et du Conservateur en chef de la Bibliothèque de l'Arsenal.

Autour des nombreux éléments tirés de la collection Pierre Lambert, ont été réunis des documents iconographiques, manuscrits et imprimés provenant de collections publiques ou privées, dont certains étaient demeurés inconnus. Les visiteurs pourront suivre le développement de l'œuvre de Huysmans à travers ses thèmes principaux et le cheminement de l'homme Huysmans par les voies secrètes qui l'ont mené, de ses premiers enthousiasmes naturalistes, en passant par les désenchantements de la vie et les tentations du satanisme, jusqu'aux certitudes de la foi.

Je tiens à remercier très vivement M. Georges Le Rider, Administrateur général de la Bibliothèque Nationale, pour avoir bien voulu que cette exposition se tienne dans les salons mêmes de la Bibliothèque de l'Arsenal et pour avoir donné les moyens de la réaliser.

Mes remerciements émus vont à Mme Pierre Lambert, qui a si scrupuleusement exécuté les vœux de son mari.

L'exposition doit beaucoup à M. Pierre Cogny, président de la Société J.-K. Huysmans ; je lui exprime ma reconnaissance pour les excellents textes dont il a enrichi ce catalogue et pour l'aide que ses conseils et son action ont apportée aux organisateurs.

M. Jean Hervé-Bazin, président de l'Académie Goncourt, une fois de plus, a libéralement mis à notre disposition les archives de l'Académie Goncourt. Qu'il en soit chaleureusement remercié.

J'exprime ma particulière gratitude à M. Henry Lefai, secrétaire de la Société J.-K. Huysmans, pour sa participation si généreuse.

J'adresse mes plus vifs remerciements à M. Maurice Serullaz, Conservateur en chef du Cabinet des dessins au Musée du Louvre, à Mme Hélène Adhémar, Conservateur en chef du Musée du Jeu de Paume, à M. Michel Laclotte, Conservateur en chef du Musée National d'Art moderne, Palais de Tokyo, à M. Gérald Van der Kemp, Conservateur en chef du Musée National du Château de Versailles, à M. de Montgolfier, Conservateur en chef du Musée Carnavalet, à M. Jean Paladilhe, Conservateur du Musée Gustave Moreau, à M. Georges Poisson, Conservateur en chef du Musée de l'Ile-de-France, à Mlle Lise Carrier, Conservateur du Musée Orbigny à La Rochelle, à M. Claude Souviron, Conservateur du Musée des Beaux-Arts de Nantes, pour les prêts de grande qualité qu'ils ont consentis.

J'exprime aussi ma sincère reconnaissance à M. Jean Favier, Directeur des Archives Nationales, à M. François Chapon, Conservateur de la Bibliothèque littéraire Jacques Doucet, à M. le Professeur Jacques-Henry Bornecque, à Mme Chagnaud-Forain, à MM. Emmanuel Fabius et Alfred Marchal, au Colonel Daniel Sickles, aux T.R.PP. abbés de Saint-Pierre de Solesmes et de Saint-Martin de Ligugé.

Le soin de réaliser cette exposition a été confié à trois huysmansiens confirmés : M. Pierre Cogny, dont j'ai dit l'importance de la participation, mes collègues et amis M. Jacques Lethève, Conservateur en chef du Département des Imprimés à la Bibliothèque Nationale et président d'honneur de la Société J.-K. Huysmans et M. René Rancœur, Conservateur en chef honoraire à la Bibliothèque Nationale, tous deux principaux responsables de l'exposition organisée en 1948 rue de Richelieu ; ils ont été assistés par mes collaboratrices, Mme Danielle Muzerelle, conservateur, qui connaît parfaitement les manuscrits de la collection Lambert, dont elle a rédigé le catalogue, et sur qui a reposé une part essentielle de la préparation, Mme Françoise Bertrand Py, conservateur, Mlle Marie-Paule Jaffré, conservateur. Ils ont réalisé un catalogue de grande qualité scientifique, qui fait revivre J.-K. Huysmans sous tous ses aspects, parfois les moins attendus, et éclaire son œuvre. A tous, j'adresse mes plus vives et plus sincères félicitations.

J'ai grand plaisir à souligner le soin et le goût apportés à la présentation de l'exposition par M. Michel Brunet, décorateur, et à remercier de son aide si efficace dans la préparation M. Jean-Paul Chadourne, chef du Service des expositions de la Bibliothèque Nationale, ainsi que le personnel des ateliers de restauration de la Bibliothèque Nationale et de la Bibliothèque de l'Arsenal.

JACQUES GUIGNARD,
Conservateur en chef
de la Bibliothèque de l'Arsenal.

LISTE DES PRETEURS

COLLECTIONS PUBLIQUES

PARIS ET REGION PARISIENNE : ARCHIVES NATIONALES ; BIBLIOTHÈQUE LITTÉRAIRE JACQUES DOUCET ; MUSÉE CARNAVALET ; MUSÉE DE L'ILE-DE-FRANCE, CHATEAU DE SCEAUX ; MUSÉE DU LOUVRE (CABINET DES DESSINS), MUSÉE DU LOUVRE (GALERIE DU JEU DE PAUME) ; MUSÉE GUSTAVE MOREAU ; MUSÉE NATIONAL D'ART MODERNE (PALAIS DE TOKYO) ; MUSÉE NATIONAL DU CHATEAU DE VERSAILLES.

LA ROCHELLE : MUSÉE DES BEAUX-ARTS.

MEDAN : FONDATION EMILE ZOLA.

NANTES : MUSÉE DES BEAUX-ARTS.

COLLECTIONS PARTICULIERES

Mme PIERRE LAMBERT

M. THIERRY BODIN ; M. LE PROFESSEUR JACQUES-HENRY BORNECQUE ; Mme CHAGNAUD-FORAIN ; M. PIERRE COGNY ; M. EMMANUEL FABIUS ; M. JEAN-CLAUDE LEBLOND-ZOLA ; M. HENRY LEFAI ; M. ALFRED MARCHAL ; M. JOHN SANDIFORD PELLÉ ; M. RENÉ RANCŒUR ; COLONEL DANIEL SICKLES ; M. HENRY TROUVÉ.

ABBAYE SAINT-MARTIN DE LIGUGÉ ; ABBAYE SAINT-PIERRE DE SOLESMES ; ARCHIVES DE L'ACADÉMIE GONCOURT ; ASSOCIATION DES AMIS DE MÈRE GENEVIÈVE GALLOIS ; PAROISSE SAINT-SÉVERIN-SAINT-NICOLAS (PARIS).

CHRONOLOGIE

1815   Naissance, à Breda (Hollande), de Victor-Godfried-Jan Huysmans, père de l'écrivain.

1826   Naissance, à Vaugirard, de sa mère Elisabeth-Malvina Badin.

1845   *Novembre* : mariage, à Paris, de Victor-Godfried Huysmans, dessinateur lithographe et peintre miniaturiste, et d'Elisabeth-Malvina Badin.

1848   *5 février* : naissance de Charles-Marie-Georges Huysmans, à 7 heures du matin, au n° 11 de la rue Suger (aujourd'hui le 9).

—   *6 février* : baptême, en l'église Saint-Séverin.

1851   *20 mars* : naissance d'Anna Meunier, à Metz.

1856   *24 juin* : mort de Victor-Godfried-Jan Huysmans.
Elisabeth-Malvina s'installe avec un frère — Jules Badin — 11, rue de Sèvres. J.-K. H. commence ses classes à la Pension Hortus, 94, rue du Bac.

1857   Remariage d'Elisabeth-Malvina Huysmans avec Henri-Alexandre-Jules Og ; deux filles naîtront de cette union : Juliette et Blanche. L'apport financier de Jules Og permet l'ouverture d'un atelier de brochage, dont les revenus feront vivre la famille.

1860   Première communion de J.-K. H., dans la chapelle de l'Institution Hortus.

1861   *21 avril* : confirmation.

1862-1865   Huysmans, toujours interne à la Pension Hortus, suit les cours du Lycée Saint-Louis.

1865   Il refuse de continuer à fréquenter ces établissements et prépare son baccalauréat en recevant des leçons particulières.

1866   *7 mars* : reçu à son premier baccalauréat.

—   *1er avril :* prend ses fonctions au Ministère de l'Intérieur, en qualité d'employé de 6e classe.

—   *Octobre-novembre* : s'inscrit à la Faculté de Droit et à celle des Lettres.

1867   *19 août* : succès à son premier examen de droit.

—   *8 septembre* : Henri-Alexandre-Jules Og meurt, 11, rue de Sèvres, à l'âge de 44 ans.

—   *25 novembre* : le premier article de Huysmans : « Des paysagistes contemporains », paraît dans *La Revue mensuelle*.

—   *Décembre* : liaison avec une actrice du Théâtre du Luxembourg (Bobino).

1870   *2 mars* : enrôlé dans la Garde nationale mobile de la Seine sous le matricule 1377.

—   *30 juillet* : reçoit l'ordre de se présenter à la caserne de la rue de Lourcine, pour rejoindre le 6e bataillon.
Malade, ne peut monter en ligne. Evacué sur l'hôpital de Châlons, puis sur celui d'Evreux.

—   *8 septembre* : permission de convalescence ; retour rue de Sèvres.

—   *10 novembre* : détaché au Ministère de la Guerre, en qualité de commis aux écritures.

1871   *Février* : redevenu fonctionnaire civil, J.-K. H. est évacué à Versailles avec les services du Ministère de l'Intérieur.

—   *2 juin* : retour à Paris, après la Commune.

— *Eté* : toujours employé à Versailles, Huysmans s'installe 114, rue de Vaugirard, puis 73, rue du Cherche-Midi, où, chaque mercredi soir, il recevra ses amis, dont Henry Céard, Albert Pinard.

1871-1873   J.-K. H. entreprend une première ébauche de ses souvenirs de guerre : *Le Chant du Départ (Sac au dos)*, et un drame romantique en vers : *La Comédie humaine*.
Débuts probables de sa liaison avec Anna Meunier.

1874   *10 octobre* : *Le Drageoir à épices*, refusé par Hetzel, publié à compte d'auteur, chez Dentu.
— *Novembre* : *L'Artiste*, d'Arsène Houssaye, publie des extraits de l'œuvre, qui sera rééditée par la Librairie Générale, sous son titre définitif, *Le Drageoir aux épices*, en 1875.

1875   J.-K. H. travaille à un roman sur le Siège de Paris : *La Faim* et à un recueil de nouvelles : *Joyeusetés navrantes*, qui demeureront inachevés.
Collabore au *Musée des Deux Mondes*, à *La Chronique illustrée*.

1876   *4 mai* : sa mère meurt, lui laissant la responsabilité de ses deux jeunes demi-sœurs et de l'atelier de brochage.
Il obtient sa mutation à la Sûreté générale, rue des Saussaies.
S'installe 11, rue de Sèvres.
— *Août* : voyage en Belgique, à la recherche d'un éditeur pour *Marthe*, qui paraît à Bruxelles, en septembre, chez Jean Gay ; J.-K. H. fait la connaissance de Félicien Rops et Théodore Hannon.
— *Septembre* : séjour en Hollande ; préface pour une édition de Gamiani (d'Alfred de Musset ?) ; l'éd. de *Marthe* saisie dans sa presque totalité à la frontière.
— *Décembre* : rencontre Zola. Le groupe des Cinq : Huysmans, Céard, Alexis, Hennique, Maupassant.
Collabore à : *L'Actualité*, de Bruxelles, *La République des lettres*, *La Cravache parisienne*, *La Chronique illustrée*, *Le Musée des Deux Mondes*.

1877   *11 mars-1er avril* : *Emile Zola et l'Assommoir* paraît dans *L'Actualité*, de Bruxelles.
— *16 avril* : célèbre dîner des Cinq, chez Trapp, avec Flaubert, E. de Goncourt, Zola, Mirbeau.
— *17 juillet* : Huysmans prend la direction de l'atelier de brochage, il est nommé tuteur de ses deux demi-sœurs.
— *19 août-21 octobre* : *Sac au dos*, dans *L'Artiste*, de Bruxelles.
— *Novembre* : J.-K. H. renoue avec Anna Meunier ?
Collabore à : *La Cravache parisienne*, *La République des Lettres*, *Le Musée des Deux Mondes*, *L'Artiste*, *L'Actualité*, de Bruxelles, *La Vie littéraire*, *L'Eclair*.

1878   *Août* : voyage en Belgique, en compagnie de Céard.
15 sept. : Huysmans à Médan, avec Hennique, Céard et Maupassant.
Collabore à : *L'Artiste*, *Paris-Plaisir*, *La Vie littéraire*.

1879   *26 février* : *Les Sœurs Vatard*, chez Charpentier.
— *Mars* : articles élogieux de Zola dans *Le Bien Public* et *Le Voltaire*.
— *17 mai-11 juillet* : *Salon de 1879*, dans *Le Voltaire*. Scandale.
— *Août-sept.* : Vacances à Cayeux-sur-Mer (Somme).
— *12 octobre* : 1re édition française de *Marthe*, chez Derveaux.
Réunions dominicales à Médan.
Collabore à : *La Revue Moderne et naturiste*.

1880   *Avril* : *Sac au dos*, remanié, paraît dans les *Soirées de Médan*.
— *8 mai* : Mort de Gustave Flaubert.
— *15 mai-1er juillet* : *Le Salon de 1880*, dans *La Réforme*.
— *22 mai* : *Croquis Parisiens*.

— *Octobre-décembre* : projet de revue : *La Comédie humaine*. Echec.

Collabore à : *L'Exposition des Beaux-Arts*, 1re année, au *Gaulois*, et au *Journal du Dimanche*, de Bruxelles.

1881 *12 février : En ménage.*

— *4 juin : Pierrot sceptique* (en collaboration avec Hennique).

— *Juillet-septembre* : J.-K. H., souffrant de névralgies, réside à Fontenay-aux-Roses (10, rue du Plessis-Piquet ?).

Rimes de Joie, de Th. Hannon, avec préf. de Huysmans (écrite en 1878 ou en 1879).

Collabore à : *Les Chefs-d'œuvre d'art au Luxembourg*, publ. sous la dir. d'E. Montrosier, *La Vie moderne, Le Génie moderne, La Revue litttéraire et artistique*, et à *Parnasse satyrique du XIXe siècle*. t. 3 (ouvrage collectif).

1882 *26 janvier : A vau l'eau*, publié à Bruxelles.

— *Fin septembre* : Rencontre Lucien Descaves.

Collabore à : *La Revue littéraire et artistique*.

1883 *Mai : L'Art Moderne* rassemble les critiques où Huysmans a révélé ou consacré le talent de Renoir, Degas, Monet, Pissarro, Caillebotte, Sisley, Forain, Raffaëlli, B. Morisot, Gauguin, G. Moreau, O. Redon.

Collaboration aux *Tablettes littéraires*, Bruxelles.

1884 *14 mai : A rebours.*

— *22 mai* : lettre de félicitations de Verlaine.

Huysmans se lie d'amitié avec Léon Bloy, mais cesse d'être le disciple de Zola.

— *Juillet* : passe son congé annuel à Jutigny (Seine-et-Marne).

Collabore à : *La Revue indépendante* (qui publie *Le Salon officiel* de 1884, en juin, et *Un Dilemme*, en sept.-oct.), *L'Art moderne*, de Bruxelles, et *La Revue moderne*.

1885 *1er janvier : Prose pour Des Esseintes*, de Mallarmé, dans *La Revue indépendante*.

— *11 mai* : Mort de Berthe Dumont, la compagne de Léon Bloy.

— *16-31 mai : Le Salon de 1885*, dans *L'Evolution sociale*.

— *Août* : séjour à Lourps, en compagnie d'Anna Meunier. Bloy les rejoint quelques jours en septembre.

Huysmans entre en relations épistolaires avec Arij Prins.

Ennuis financiers.

Collabore à : *La Revue moderniste, La Basoche, La Minerve, La Revue wagnérienne*.

1886 *1er-15 janvier : Autour des fortifications*, dans *La Revue illustrée*.

— *Mars* : nouv. éd. augm. de *Croquis Parisiens*.

— *Juin* : premier séjour d'Arij Prins à Paris.

— *Août : La Bièvre*, II, dans *De Nieuwe Gids*, d'Amsterdam.

— *Novembre : En rade* commence à paraître dans *La Revue indépendante*.

Collabore en outre à : *La Vogue*.

1887 *26 avril : En rade.*

Maladie d'Anna Meunier.

Collabore à *La Revue indépendante, La Revue illustrée, La Revue rose, La Revue de Paris et de Saint-Pétersbourg*.

1888 *1er février* : parution en librairie de *Un Dilemme* (daté 1887).

— *Août* : Voyage en Allemagne ; J.-K. H. visite notamment Hambourg, Cologne, Berlin, avec Prins ; découvre à Cassel la « Crucifixion » de Grünewald.

Détérioration de ses rapports avec Léon Bloy.

Brève liaison avec Henriette Maillat.

Collabore à : *La Cravache parisienne*.

1889 *Mars-août* : avec Mallarmé vient au secours de Villiers de l'Isle-Adam très malade.
— *23 avril* : mort de Barbey d'Aurevilly.
— *14 août* : mariage in-extremis de Villiers.
— *18 août* : mort de Villiers de l'Isle-Adam.
Rémy de Gourmont lui présente Berthe Courrière, qui l'initie à l'occultisme.
J.-K. H. s'intéresse, pour un roman, à la cause du fils de Naundorff.
— *2-12 septembre* : voyage à Tiffauges et en Bretagne, pour *Là-bas.*
— *Novembre* : *Certains.*
— *Fin décembre* : rupture avec Léon Bloy.
Collaboration : *La Courrier français, La Vie populaire, La Plume, Le Gil Blas, La Revue illustrée, La Cravache parisienne, La Revue indépendante, La Revue de l'exposition de 1889,* et *Les Types de Paris* (ouvrage collectif).

1890 *6 février* : première lettre à l'abbé Boullan, thaumaturge, vintrasien et satanique, dont Berthe Courrière lui a fourni l'adresse ; J.-K. H. en obtient des documents.
— *Juillet* : *La Bièvre.*
— *Septembre* : première entrevue avec Julie Thibault.
— *Octobre* : voyage à Lyon, pour rencontrer Boullan.
— *25 décembre* : cérémonie dans la petite chapelle franciscaine de la rue de l'Ebre.
Collaboration : *La Jeune Belgique, La Vie populaire.*

1891 *Janvier* : rixe du Château-Rouge ; prodromes de conversion.
— *17 février* : *Là-bas* en feuilleton dans *L'Echo de Paris.*
— *Mars* : tentative de chantage de Henriette Maillat.
— *13 avril* : *Là-bas.*
Huysmans écartelé entre ses aspirations mystiques et ses tentatives érotiques (Fernande) ; s'adonne au spiritisme.
— *28 mai* : première entrevue de Huysmans, présenté par Berthe Courrière, avec l'abbé Mugnier, à la sacristie de St-Thomas d'Aquin.
— *1er juin* : *L'incarnation de l'Adverbe,* de Léon Bloy, dans *La Plume.* Rupture définitive entre les deux écrivains.
— *Juillet* : voyage à Lyon ; pèlerinage à La Salette avec Boullan ; la Grande Chartreuse.
— *Septembre* : rencontre Paul Valéry.
Collabore au *Gaulois,* à *La Plume.*

1892 *Début juin* : Huysmans prie l'abbé Mugnier de lui indiquer une maison religieuse où faire retraite.
— *12 juillet* : se rend à la Trappe de Notre-Dame d'Igny ; il y rencontre un oblat, Charles Rivière.
— *14 juillet* : confession.
— *15 juillet* : communion.
— *Fin juillet* : rend visite à Boullan à Lyon.
— *30 juillet* : *Le Figaro* annonce sa conversion ; J.-K. H. dément.
— *Automne-hiver* : choisit comme directeur de conscience l'abbé Gabriel-Eugène Ferret, vicaire de Saint-Sulpice.
Collabore à : *L'Echo de la Semaine.*

1893 *4 janvier* : mort de Boullan, à Lyon. Polémiques avec les occultistes.
Huysmans évite de justesse un duel avec Stanislas de Guaita.
— *13 avril* : internement d'Anna Meunier à Ste-Anne.
— *Mai* : fragment d'*En route* — avant publication en volume — dans la revue *Le Cœur.*
— *5-9 août* : nouvelle retraite à Notre-Dame d'Igny. Attaques diaboliques.
— *3 septembre* : chevalier de la Légion d'honneur (en tant que fonctionnaire).

— *16 décembre* : découverte de Chartres.

Collaboration : Le Supplément du *Journal, Le Journal pour tous, L'Indépendance luxembourgeoise, La Plume.*

1894 *Printemps* : rencontre, à Paris, dom Jean-Antoine-Martial Besse, moine bénédictin, qui est chargé de faire renaître Saint-Wandrille.

J.-K. H. lui rend visite à St-Wandrille en juillet et sept.-octobre. Projets d'art et de spiritualité.

— *Octobre* : troisième séjour à la Trappe d'Igny.

Dom Besse exilé à Silos (Espagne).

Collabore à : *La Société nouvelle, Le Journal.*

1895 *12 février* : Anna Meunier meurt à Sainte-Anne.

— *23 février* : En route.

— 6 mai : première lettre à Catherina Alberdingt Thijm.

— *Juin : Le Satanisme et la magie,* de Jules Bois, préfacé par Huysmans.

— *Mai-juillet* : désillusions sur les projets de fondation d'une abbaye par mère Célestine de la Croix, à Fiancey.

— *Octobre : Petit catéchisme liturgique* des abbés Dutilliet et Vigourel, préfacé par Huysmans.

Collabore à *Pan, Le Figaro* (Supplément littéraire), *Gil Blas.*

1896 *8 janvier* : mort de Verlaine.

— *Avril* : se lie d'amitié avec les Leclaire.

— *16 juillet* : mort d'Edmond de Goncourt.

Dernière retraite à Igny.

— *Août : Préface pour une nouvelle édition de En Route.*

— *Septembre-octobre* : à Solesmes, où l'accueillent dom Delatte, abbé de Saint-Pierre, et Mme Cécile Bruyère, abbesse de Ste-Cécile. Enthousiasme de J.-K. H. qui envisage d'entrer au cloître l'année suivante.

Préface à : F.-A. Cazals, *Paul Verlaine et ses portraits.*

Collabore à *La Plume,* et à *Félicien Rops et son œuvre* (ouvrage collectif).

1897 *Février* : découvre le peintre Charles-Marie Dulac.

— *Avril* : se rend à Palinges (Saône-et-Loire), auprès de l'abbé Ferret, gravement malade ; il y retournera en juillet.

— *5 août* : jugement du tribunal civil, permettant de constituer l'Académie Goncourt.

— *24 juillet-1er août* : Solesmes. Chartres.

— *13 septembre* : mort de l'abbé Ferret.

— *24 sept.-7 oct.* : voyage en Belgique et en Hollande, avec les Leclaire.

— *27 octobre : L'Echo de Paris* commence à publier des extraits de *La Cathédrale.*

Collabore à : *La Revue illustrée, Le Correspondant, Le Gaulois,* et *La Tradition en Poitou et Charente* (ouvrage collectif).

1898 *31 janvier : La Cathédrale.*

Tentatives de séduction de « La Sol ».

— *16 février* : prend sa retraite, avec le grade de chef de bureau honoraire.

— *Avril : La Cathédrale* dénoncée à l'Index.

— *Juillet* : Solesmes ; Saint-Maur de Glanfeuil.

— *Août* : premier séjour à Ligugé.

— *9 septembre* : mort de Mallarmé.

— *Novembre* : projets pour une colonie chrétienne d'artistes à Ligugé.

— *7 décembre* : bénédiction de la première pierre de la Maison Notre-Dame.

— *29 décembre* : mort de Dulac.

Collabore à : *Durendal, Le Spectateur, L'Echo de Paris, Le Spectateur catholique, La Revue encyclopédique* (Larousse).

1899 *Juin* : installation à Ligugé.

Se sépare de Julie Thibault.

— *Octobre* : voyage en Vendée, avec dom Besse.

— *Novembre : Pages catholiques.*

Jours heureux à la Maison Notre-Dame.

Collabore à *L'Echo de Paris, La Grande Revue, La Revue illustrée, L'Univers-Monde, Le Pays poitevin*, et à *L'Almanach du bibliophile pour l'année 1899.*

1900 *1er mars* : Académie Goncourt : le jugement du 5 août 1897 est confirmé en appel.

— *18 mars* : commence son noviciat d'oblat.

— *7 avril* : Huysmans président de l'Académie Goncourt.

— *Novembre* : préf. pour *la Jeunesse du Pérugin et les origines de l'école ombrienne*, de l'abbé Broussolle.

25 déc. : Forain, en visite à Ligugé, communie avec Huysmans.

Fin d'année assombrie par les menaces d'expulsion pesant sur les ordres religieux.

1901 *Mars* : le premier chapitre de *Sainte Lydwine de Schiedam* paraît dans *Durendal*.

— *21 mars* : profession solennelle d'oblature.

— *Fin septembre* : exil des moines.

— *23 octobre* : Huysmans quitte définitivement Ligugé et s'installe dans l'annexe du couvent des bénédictines, 20, rue Monsieur.

— *Début novembre : De Tout.*

Rencontre Henriette (ou Gaëlle) du Fresnel, « le Petit Oiseau ».

— *5 décembre* : commence la rédaction de *L'Oblat*.

1902 *Mai* : premiers symptômes du mal qui l'emportera.

— *22 ou 23 mai* : reçoit la première lettre de L. Delmas ; début de l'affaire de Marseille.

— *17 juin : Esquisse biographique sur don Bosco.*

— *15 juillet* : à Marseille, rencontre le Dr Rodaglia et Mlle Duclos.

— *7 août* : emménagement 60, rue de Babylone.

— *Septembre :* visite, à Bruges, d'une exposition de Primitifs.

— *29 septembre* : mort d'Emile Zola.

Collabore au *Tombeau de Louis Ménard*, ouvrage collectif.

1903 *12 janvier* : première réunion de l'Académie Goncourt, chez Hennique, rue Decamps.

— *14 janvier* : l'Académie Goncourt reconnue d'utilité publique.

— *2 mars* : *L'Oblat*.

— *6 mars* : commence un séjour de trois semaines à Lourdes.

— *25 mars* : sœur Thérèse-de-Jésus, fille de « La Sol », fait profession au Carmel de Lourdes.

— *Fin septembre* : voyage en Allemagne et en Belgique, avec l'abbé Mugnier.

— *Novembre* : décline l'amour d'Henriette du Fresnel.

— *21 décembre* : premier prix Goncourt, décerné chez Champeaux, à J.-A. Nau, pour *Force ennemie*.

Collabore à *Durendal* et à *L'Eclair*.

1904 *1er mars* : installation au 31, rue Saint-Placide.

Préf. pour la nouvelle édition de *A rebours* et pour les *Poésies religieuses* de Paul Verlaine.

— *Juillet :* fermeture administrative du couvent des bénédictines, rue Monsieur, sans interruption de la vie conventuelle.
— *Septembre* : séjour à Lourdes.
— *Novembre* : J.-K. H. rencontre l'abbé Daniel Fontaine, curé de Notre-Dame-du-Rosaire à Clichy, qui deviendra son confesseur.
  Trois primitifs.
  Collaboration : *Le Mois littéraire et pittoresque, Durendal.*

1905 *Février* : édition collective de *Croquis Parisiens, A Vau l'eau, Un Dilemme.*
  Octobre : zona oculaire.
  Collabore au *Tour de France.*

1906 *10 mars :* J.-K. H. opéré à l'œil.
— *15 avril* : il recouvre la vue, mais sa santé reste fort mauvaise.
— *1er août* : s'installe, pour deux mois, à Issy-les-Moulineaux, 3, rue de l'Egalité, dans la maison de l'abbé Broussolle.
— *1er octobre : Les Foules de Lourdes.*
  Collabore à *Durendal, La Revue hebdomadaire, Le Tour de France.*
— *8 novembre* : Huysmans fait son testament.
— *24 novembre* : transféré à la clinique de la rue Blomet, il y est opéré, le 29, d'un phlegmon au cou.

1907 *13 janvier* : Huysmans promu officier de la Légion d'honneur par Aristide Briand.
— *18 mars* : dernière visite d'Henriette du Fresnel, avant son départ pour l'abbaye bénédictine Ste-Scholastique, de Dourgne.
— *23 avril* : J.-K. H. reçoit l'extrême-onction.
— *12 mai :* mort de Huysmans.
— *15 mai :* obsèques à Notre-Dame-des-Champs, et inhumation au cimetière Montparnasse.

HUYSMANS 1979

Il pourrait surprendre que la Bibliothèque de l'Arsenal consacre en 1979 une exposition à Joris-Karl Huysmans né en 1848 et mort en 1907. Il y a pourtant une double justification, de temps et de lieu : en 1969, en effet, voici dix ans, disparaissait Pierre Lambert qui avait consacré sa vie à rassembler une documentation d'une extraordinaire richesse autour de Huysmans et c'est à la Bibliothèque Nationale, pour le Département de la Bibliothèque de l'Arsenal, qu'il avait légué ses collections, aujourd'hui consultées, comme il l'aurait souhaité, par les chercheurs du monde entier.

C'était le souhait de Pierre Lambert et ce serait sa joie de constater que cet écrivain qui, des décennies durant, n'intéressait que les « happy few », a depuis quelques années conquis une place de choix, une des toutes premières dans la littérature dite d'avant-garde.

Déjà, en 1948, le centenaire de la naissance avait été célébré avec éclat par la Bibliothèque Nationale et, en 1957, la Mairie du VIe arrondissement lui a consacré une exposition.

Pour cette exposition de 1979, à la présentation biographique, quasiment d'usage, les organisateurs ont préféré une présentation thématique, pensant mieux mettre ainsi en relief la diversité d'un écrivain trop souvent victime d'une dichotomie trompeuse. Il y aurait eu, se sont plu à le déclarer trop longtemps les critiques, deux Huysmans, irrémédiablement séparés par l'hiatus de la conversion : le premier se serait ri du second s'il lui avait été donné de le connaître et le second aurait rougi du premier. Les naturalistes dénonçaient, derrière Zola qui n'avait exprimé que des craintes, la « trahison » d'*A rebours* et

1

les catholiques, ceux du moins qui ne mettaient pas en doute la sincérité de la conversion, regrettaient presque les bûchers de l'Inquisition
pour les premières œuvres. Ni les uns ni les autres ne voulaient voir
sous les mouvances apparentes les permanences profondes, ne fût-ce
que l'unité de l'écriture sur laquelle nous aurons à revenir.

Cette diversité des thèmes retenus porte témoignage de cette diversité des aspects à laquelle Léon Deffoux avait consacré un ouvrage
qui fait encore autorité [1].

Après quelques documents concernant les premières années, pour ne
pas dire la préhistoire, quand Joris-Karl n'était encore que Georges-
Charles, les centres d'intérêt retenus ont été :

Huysmans et le Naturalisme

Huysmans et *A rebours*

Huysmans et la critique d'art

Huysmans et Satan

Huysmans et Dieu

Huysmans et l'Académie Goncourt

Pierre Lambert au travail.

L'essentiel, pour les organisateurs, a été de tenter d'offrir en une série
de petites synthèses les documents qui leur ont paru les plus signifi-
catifs, en évitant l'éparpillement. Il fallait donc opérer des choix parfois
douloureux dans la multitude des pièces qui étaient à leur disposition.
Quand on s'étonnait devant Pierre Lambert de l'immensité de son éru-
dition dans des domaines aussi différents que la littérature, l'ésoté-
risme, l'art, les sciences, du Moyen Age au XXe siècle, il répondait inva-
riablement : « Je suis parti de Huysmans et je me suis contenté de
le suivre. »

Tel est l'ambitieux itinéraire proposé.

En fait, il pourrait — il devrait — être capricieux s'il avait eu la
prétention de restituer Huysmans dans ses mutations, qui ne sont la
plupart du temps que des écarts, des limites de ses constantes.

_____

(1) *J.-K. Huysmans sous divers aspects*, Paris, Crès, 1927.

« Du naturalisme à Satan et à Dieu », certes, mais il est aisé de constater que Huysmans, préférant les sentiers obliques aux grandes routes, fut, dans toutes ses étapes, un marginal et, ce qui est plus rare, en avance sur lui-même, comme s'il avait pressenti l'étape suivante, quitte à revenir en arrière au bout de chaque chemin. Il n'est peut-être aucun de ses ouvrages dans lequel il ne soit permis d'apercevoir les germes de l'ouvrage suivant et ce balisage a d'autant plus d'importance qu'il est absolument inconscient. *A rebours* est sans doute le grand carrefour aperçu par Barbey d'Aurevilly et reconnu vingt ans après dans la préface de la réédition en 1902, mais il serait pas impossible de trouver, ici et là, tout un réseau de croisements secondaires. *Le Drageoir à épices*, premier livre publié (1874) est beaucoup plus près, à bien des égards, d'*A rebours* (1884) que des romans comme *Marthe*, *les Sœurs Vatard* ou *En ménage*, mais il est des pages de *Sainte Lydwine de Schiedam* ou des *Foules de Lourdes* dont le « naturalisme » fait penser aux pages les plus joyeusement débridées des premiers écrits. Huysmans fut incontestablement un romancier chrétien à partir d'*En route*. Jamais il ne devint écrivain « bien pensant », dans le sens où on l'entend d'ordinaire, car il ne consentit jamais à être tout à fait sage. Il n'est nullement question de mettre en cause la conversion, comme le firent certains « soutaniers » (le mot est de lui) de son temps — il est sain, pour s'échauffer la bile, de relire l'abbé Belleville — mais il est simplement juste de constater qu'il lui arriva fréquemment d'écrire au-delà de ce qu'il pensait parce qu'il écrivait — peut-être ! — avant de penser, formule ambiguë qui demande quelque éclaircissement. Les dossiers du fonds Pierre Lambert contiennent de quoi la justifier. Nous y retrouvons en effet de curieuses listes de mots groupés parfois par ordre alphabétique, parfois par rapprochements sémantiques, parfois aussi sans aucun dessein apparent, si ce n'est une sorte de recherche du plaisir. Ainsi jetés sur feuilles volantes, ces mots évoqueraient assez bien des essais de couleurs sur une palette et il peut se produire que le peintre se livre à une recherche gratuite sans trop savoir où ni quand sera utilisé le mélange, ni même s'il le sera. Huysmans semble avoir aligné de la sorte les mots, premier stade de la joie créatrice, avant de les insérer dans une phrase et le livre se constituant fragment par fragment, *motu proprio*, comme si l'écriture était le moteur de la pensée. La même démarche pourra se retrouver dans les manuscrits qui nous sont parvenus, où il s'agit moins de corrections à proprement parler que d'agencements nouveaux qui n'ont rapport ni avec la grammaire ni avec la signification. Mais rien n'est jamais

3

perdu et telle formule clairement lisible sous la biffure reparaîtra quelques lignes ou quelques paragraphes plus loin. Par un système savant, très au point, de correspondance, Huysmans entend, voit, respire son texte autant et plus qu'il ne l'écrit. On pourrait dire qu'il le touche, comme il palpe les reliures et grands papiers qui faisaient la fierté de sa bibliothèque. De son belvédère de la rue de Sèvres, de la Maison Notre-Dame à Ligugé ou de ses derniers refuges, quand se sera éclairé le fanal du vieil espoir qu'attendait Des Esseintes, il voyage à travers les sens, à travers les arts, à travers les temps, et c'est là son unité.

Pierre COGNY,
Président
de la Société J.-K. Huysmans

I

LES DÉBUTS DANS LA VIE

« Un inexplicable amalgame d'un parisien raffiné et d'un peintre de la Hollande », tel se définit Huysmans lui-même dans sa brève autobiographie publiée dans la série des *Hommes d'aujourd'hui*, sous le pseudonyme d'A. Meunier.

Parisien, il l'est par sa naissance, dans une petite rue du Ve arrondissement, et toute sa vie, si l'on excepte le court épisode de son installation à Ligugé, se déroulera sur la rive gauche, à l'ombre de Saint-Sulpice, autour du quartier de la rue de Sèvres. C'est là qu'il fit ses classes, rue du Bac, puis au lycée Saint-Louis, avant d'entamer de brèves études de droit, vite abandonnées pour une carrière de fonctionnaire, consciencieuse mais sans éclat.

Il avait suivi en cela l'exemple de ses ancêtres maternels, les Badin, qui, de père en fils, avaient servi dans l'administration. Mais ce n'est pas d'eux pourtant qu'il se réclame, malgré le grand-père Gérard, prix de Rome de sculpture, qu'il juge avec désinvolture. Toute sa fierté va à sa famille hollandaise : Godfried Huysmans, son père, né à Bréda en 1815, descend d'une longue lignée d'artistes flamands. Lui-même est installé à Paris comme lithographe et miniaturiste. Il mourra tôt, mais non sans avoir eu le temps d'emmener son fils à Bréda auprès de ses grands-parents, ou à Turnhout auprès de ses tantes les béguines, visites qui laissèrent à l'enfant des impressions jamais oubliées. Et s'il changea plus tard son prénom de Charles-Georges en Joris-Karl, c'est bien certes en hommage à cette part hollandaise de lui-même qu'il voulait prépondérante ; et l'art ne cessa jamais d'exercer sur lui un invincible attrait.

Après cette enfance assez triste, attiré par la vie et les milieux artistes, qu'il fréquente comme jeune étudiant, il esquisse un début d'entrée dans la vie littéraire, qui sera interrompu par la guerre de 1870.

D.M.

1

CONVENTION BURLESQUE passée le 24 novembre 1847 entre parents et amis de la famille Huysmans. — B.N., Ars., Ms. Lambert 29 (1).

Cette étonnante pièce est bien la plus ancienne où l'on puisse trouver mention de J.-K. Huysmans : lors d'une réunion de famille chez les futurs parents de Huysmans un contrat fantaisiste a été passé entre parents et amis pour savoir qui offrirait un baba, selon que naîtrait un garçon ou une fille.

Parmi les signataires, on peut remarquer le nom de Bavoil qui servit à Huysmans pour la pittoresque bonne de l'abbé Gèvresin.

2

ALBUM DE DESSINS DE A.-F. GÉRARD, sculpteur. In-fol. — A M. H. Lefai.

Huysmans, dans sa biographie publiée dans *Les Hommes d'aujourd'hui* (n° 263, 1885), mentionne avec désinvolture son ancêtre Gérard (1760-1843) : « Le père de ma grand-mère était un sculpteur, prix de Rome. Il a fabriqué un tas de vêtements en saillie sur le piédestal de la colonne Vendôme... Le père Gérard était, je crois, un Maindron quelconque, un vague plâtrier consciencieux. » Il avait épousé Marie-Françoise Bavoil, dont le nom devait être immortalisé par son arrière-petit-fils.

Ce recueil, trouvé sur les Quais de Paris par M. Lefai, portant l'ex-libris manuscrit de Gérard, contient plus de 200 études d'après l'antique, exécutées à Rome.

(Cf. H. Lefai, *Un Ancêtre oublié de J.-K. Huysmans...*, dans *Bulletin de la Société J.-K. Huysmans*, n° 24, 1952.)

3

NOTE DE J.-K. HUYSMANS sur sa famille hollandaise. Manuscrit autographe. 2 ff. — B.N., Ars., Ms. Lambert 29 (1).

Huysmans était très fier de son ascendance hollandaise, qu'il aimait à rappeler. Sur cette feuille il a noté les noms de ses tantes, dont il avait rencontré certaines lors de visites au béguinage de Turnhout, dans son enfance.

4

LA JOURNÉE DU CHRÉTIEN. Paris, G. Huysmans, 1852. In-16. — B.N., Impr., Rés. B. 10267.

Ce livre de prières a été illustré en chromolithographie par Godfried Huysmans, descendant d'une longue lignée d'artistes hollandais et père de Joris-Karl Huysmans. On y a joint une lettre du Grand chambellan de l'Empire remerciant l'artiste au nom de Napoléon III pour l'envoi de son livre (B.N., Ars., Ms. Lambert 29).

5

LA MAISON NATALE de J.-K. Huysmans, 11, rue Suger à Paris. Photographie J. Roubier. — B.N., Ars, Fonds P. Lambert.

N° 4

6

Si la maison existe encore (le n° 11 étant devenu le n° 9) où naquit, le 5 février 1848, J.-K. Huysmans, l'« antique porte ronde à double vantail, teinte en vert et martelée d'énormes clous » qu'il décrit sous la signature d'A. Meunier, dans le 263ᵉ fascicule des *Hommes d'aujourd'hui*, 1885, a disparu. La ruelle a cependant conservé l'aspect qu'elle avait en cette année 1848 où il naquit : « Je suis né dans une année de tourmente et j'en suis resté à jamais inquiet et tourmenté. »

6

REGISTRE DES BAPTÊMES de la paroisse de Saint-Séverin. 1847-1950. — Archives de l'église Saint-Séverin.

On y trouve l'acte de baptême de Charles Marie Georges Huysmans, dressé le 6 février 1848. en cette église Saint-Séverin pour laquelle il conserva toute sa vie un grand attachement.

N° 7

7

GEORGES HUYSMANS. Portrait, 1855. — B.N., Ars., Fonds P. Lambert.

Ce naïf dessin à la mine de plomb était, selon Céard et J. de Caldain qui en publièrent la reproduction en 1908 dans la *Revue hebdomadaire*, accompagné, quand ils le virent, de ce quatrain :

« 29 mai 1855

« Georges s'est bien conduit à table ;
Il a mangé fort décemment,
S'est amusé sans être diable,
Enfin s'est montré charmant. »

8

LE 11, RUE DE SÈVRES.

a) Plan dressé en 1902. — B.N., Est., Va 268 e.

Ce plan, publié en 1902, montre l'emplacement du couvent des Prémontrés, dont la chapelle avait été démolie après la Révolution et dont les cellules avaient été converties en
logements. On y repère facilement le 11, rue de Sèvres, où la mère de Huysmans s'installa auprès de ses parents après la mort de son mari. C'est là qu'en 1858 fut aménagé,
par son nouvel époux, M. Og, l'atelier de brochage que Huysmans décrivit dans *Les
Sœurs Vatard* et dont il tira longtemps des ressources non négligeables.

b) La cour du 11, rue de Sèvres, 1948. Photographie par Jean Roubier. — B.N.,
Ars., Fonds P. Lambert.

Huysmans revint plus tard habiter cette maison, mais dans un petit appartement au
5ᵉ étage, à gauche dans cette cour, qu'il appelait sa « lanterne ». Il y demeura jusqu'à
son départ pour Ligugé en 1898.

9

LIVRE DE PRIX de la pension Hortus et prospectus publicitaire. — A M. H. Lefai.

Huysmans a mis dans la bouche d'André Jayant, l'écrivain d'*En ménage*, ses griefs envers
l'Institution Hortus, sise 94, rue du Bac, où il fut élève externe de 1856 à 1865 : « Dire
qu'il s'est trouvé des gens pour prétendre qu'on regrettait plus tard le temps du collège !
Ah non par exemple ! Si malheureux que je puisse être, je préférerais crever que de
recommencer cette vie de caserne... »

10

PROSPER POITEVIN. Cours théorique et pratique de langue française... — Paris,
Didot, 1851. In-16. — B.N., Ars., 8° Lambert 526.

Au revers du premier plat, le jeune Huysmans a inscrit cette mention : « Georges Huysmans. Pension Hortus rue du Bac n° 94 ou rue de Sèvres n° 11 Paris. » Comme en
témoigne une lettre jointe, l'abbé Fontaine, légataire d'une grande partie de la bibliothèque de Huysmans, avait donné cette grammaire à Lucien Descaves en souvenir du
maître disparu.

11

DIPLOME DE BACHELIER de J.-K. Huysmans et cartes d'inscription à la Faculté de
droit. — B.N., Ars., Ms. Lambert 29 (2).

Huysmans ayant quitté la pension Hortus et le lycée Saint-Louis, prit des leçons particulières et, le 7 mars 1866, fut reçu à son premier baccalauréat. Il fut décidé qu'il entre-
prendrait son droit tout en sollicitant un poste au Ministère de l'Intérieur. Il semble
avoir consacré fort peu de temps à l'étude du droit, auquel il renonça rapidement, préférant goûter les plaisirs de la vie de bohème des étudiants parisiens.

N° 8

12

J.-K. Huysmans fonctionnaire. Dossier personnel du Ministère de l'Intérieur. — A.N., F¹B¹ 569.

a) Lettre de J.-K. Huysmans au ministre, sollicitant un poste, 1866.
Il y fait état de la longue tradition de service comme fonctionnaires de ses ancêtres maternels Badin.

b) Arrêté de nomination, 20 mars 1866.

c) Feuille de notation, juillet 1880.
J.-K. Huysmans était alors rédacteur au 4e bureau de la direction de la Sûreté générale.
On y note que son exactitude est parfaite, son travail très rapide et son caractère peu expansif.

d) Lettre du 12 février 1898, signée par le ministre Louis Barthou, l'informant de sa mise à la retraite.

Huysmans se plaignit souvent des contraintes de sa vie de fonctionnaire et de son « puits administratif ». Mais il semble néanmoins avoir été un employé consciencieux et régulier, même si le nombre de ses manuscrits sur papier à en-tête du ministère autorise à penser qu'il devait consacrer une partie de son temps à ses travaux littéraires.

13

Affaire Tissot. 1884. Archives du Ministère de l'Intérieur. — A.N., F⁷ 12708.

Dossier d'une affaire de police instruite par J.-K. Huysmans, rédacteur au 4e bureau de la Sûreté générale.

14

Le Théâtre du Luxembourg, dit Bobino. Peinture anonyme. Vers 1840. 150 mm × 200 mm. — Musée Carnavalet.

Il est probable que le théâtre du Luxembourg dit Bobino n'avait guère changé au moment où le connut Huysmans, dans les années 1866-1867, peu avant sa démolition en 1868.
Il semble que Huysmans y ait noué une fugitive liaison avec une actrice de revue demeurée inconnue, amère expérience sentimentale qu'il évoque dans *Marthe*.

15

La Revue mensuelle. *Nov.-déc.* 1867. — B.N., Impr. Z. 59044-59045.

Huysmans fit ses débuts littéraires dans une petite revue dirigée par un certain M. Le Hir, dont les bureaux se trouvaient rue de la Sourdière. Il y fit paraître le 25 novembre 1867 un article sur les paysagistes contemporains et, dans le numéro du 25 décembre 1867, un compte rendu de la revue « La Vogue Parisienne » qui se jouait au théâtre du Luxembourg, épisode qu'il relata plus tard dans *Marthe*.

16

Garde mobile de la Seine. Lithographie en couleurs, impr. Coulbœuf. — B.N., Ars., Ms. Lambert 29 (4).

Huysmans fut enrôlé en 1870 dans la Garde nationale mobile de la Seine et, sans aucune conviction, partit de la caserne de la rue de Lourcine pour le front, le 30 juillet. Atteint de dysenterie, il ne monta pas en ligne et fut convoyé d'hôpitaux en hôpitaux jusqu'à Evreux, où il apprit la nouvelle de la fin de la guerre et de la chute de l'Empire.

17

EVREUX. Cloître de l'ancien couvent des Capucins. 2 cartes postales. — B.N., Ars., Ms. Lambert 29 (4).

C'est dans l'hôpital de fortune installé dans les bâtiments du lycée d'Evreux, ancien couvent des Capucins, que fut tout d'abord hébergé Huysmans, rapatrié du front.

Il fut ensuite transféré à l'hôpital où il reçut les soins de sœur Angèle, figure charmante qu'il évoque dans *Sac au dos*.

18

LETTRE DE Me CHEFDEVILLE A GEORGES HUYSMANS. 6 septembre 1870. — B.N., Ars., Ms. Lambert 29 (4).

Huysmans avait retrouvé à Evreux un vieil ami de sa famille, le notaire Chefdeville. Grâce à lui il parvint à obtenir une permission et à partir pour Paris le 8 septembre.

Redevenu fonctionnaire au Ministère de l'Intérieur, il quitta Paris pour Versailles en février 1871 avec les services gouvernementaux, échappant ainsi à la fin du siège. (Cf. Céard et Caldain, *Huysmans intime*, Paris, 1908.)

II

LE NATURALISME

La période dite naturaliste de J.-K. Huysmans s'étend du *Drageoir à épices* (1874), dont nous présentons le manuscrit, à *A rebours* (1884). Entre temps, *Marthe, histoire d'une fille*, édité d'abord à Bruxelles, comme, à l'époque, tous les ouvrages pour lesquels on redoutait une poursuite judiciaire, puis à Paris, *Les Sœurs Vatard* (1879), *Sac au dos*, paru d'abord dans *l'Artiste*, de Bruxelles, et repris dans *les Soirées de Médan*, en 1880. Cette nouvelle avait été l'objet de divers essais retrouvés par P. Lambert (*La Léproserie, Le Chant du Départ, Châlons*, prévu pour *le Drageoir*). En 1881 paraissait *En ménage*, en 1882, *A vau l'eau*. *L'Art Moderne* (1883) est une brève halte dans la critique artistique, qui sollicita toujours Huysmans et le naturalisme y domine encore dans l'écriture tandis que l'esthétique bascule de la modernité baudelairienne à une forme de modernisme toute personnelle.

C'est, pour le jeune écrivain, l'époque des amitiés littéraires : le groupe de Médan, d'abord, autour de Zola, avec Céard, Hennique, Alexis, Maupassant — qui fut moins proche de lui —, les grands aînés comme Flaubert et Goncourt, les compagnons de lutte étrangers, comme Arij Prins, Camille Lemonnier ou Théo Hannon.

Huysmans devait rester marqué par l'empreinte naturaliste jusque dans les œuvres postérieures à la conversion. La rupture avec les camarades de la première heure est plus apparente que profonde et plus idéologique qu'artistique. Aussi ne brisa-t-il jamais complètement les liens avec aucun d'entre eux et il serait de mauvaise critique de prendre au pied de la lettre les hargnes qu'il put manifester dans ses correspondances privées.

P.C.

13

1871-1876

19

HENRY CÉARD. Photographie. — B.N., Ars., Fonds P. Lambert.

Né à Bercy le 18 novembre 1851, mort à Paris le 16 août 1924, cet ancien étudiant en médecine devenu fonctionnaire au Ministère de la Guerre, y rencontra Ludovic de Franc-mesnil et par lui connut Huysmans vers 1874. Leur amitié se noua sous les auspices du naturalisme et du culte de Zola, rendu rue Saint-Georges puis à Médan. Avec *La Saignée*, il participa aux *Soirées de Médan*.

20

HENRY CÉARD. Huysmans intime. Manuscrit autographe. — B.N., Ars., Ms. 13418.

Céard a raconté les débuts de son amitié avec Huysmans dans une série d'articles parus, sous sa signature jointe à celle de Jean de Caldain, dans la *Revue hebdomadaire* des 14, 21 et 28 novembre 1908, sous le titre de *Huysmans intime*. Il y donne de précieux détails sur la jeunesse et les débuts littéraires de Huysmans.

21

LE CHANT DU DÉPART, LA LÉPROSERIE. Manuscrit autographe. 7 ff. — B.N., Ars., Ms. Lambert 1.

Huysmans avait entrepris de relater ses souvenirs de guerre dès 1871 sous le titre de *Le Chant du départ* et *La Léproserie*.
Il les reprit un peu plus tard en changeant le titre pour *Sac au dos*.

22

LA FAIM. Manuscrit autographe. — B.N., Ars., Ms. Lambert 12.

La Faim devait être un roman consacré aux malheurs d'une fille de province pendant le siège de Paris. Huysmans fait état de ce projet plusieurs fois dans sa correspondance, à Zola (8 août 1878), à Théo Hannon (5 août 1878). A plusieurs reprises il tenta de reprendre le sujet, gardant jusqu'à sa mort ses notes manuscrites.
(Cf. Céard et Caldain, *Huysmans intime, op. cit.*)

23

LE DRAGEOIR A ÉPICES. Manuscrit autographe. 200 p. — B.N., Ars., Ms. Lambert 20.

En 1873, Huysmans faisant ses premiers pas dans la littérature, composa un recueil de poèmes en prose pour lequel il eut le plus grand mal à trouver un éditeur. Hetzel, en particulier, fut particulièrement sévère à l'égard du jeune auteur. Finalement, il dut se résoudre à faire publier son œuvre chez Dentu, à compte d'auteur.
Le manuscrit comporte plusieurs pièces qui ne furent pas publiées.

24

L'ARTISTE. Réd. en chef Arsène Houssaye. Paris. Novembre 1874. — B.N., Ars., Fol. Lambert 28 (1).

Ce numéro contient le premier article de Huysmans, intitulé *Tableaux et croquis*, bonnes feuilles du *Drageoir à épices*.

25

LE DRAGEOIR A ÉPICES. Paris, E. Dentu, 1874. In-8°. — B.N., Ars., 8° Lambert 39.

Exemplaire de J.-K. Huysmans, avec une reliure à la Du Seuil exécutée par Pougetoux, son relieur habituel, sur ses indications.

26

LE DRAGEOIR AUX ÉPICES. Paris, Librairie générale, 1875. In-18. — B.N., Ars., 8° Lambert 40.

Grâce à une campagne de presse favorable, le *Drageoir* fut réimprimé un an plus tard chez un autre éditeur. Seuls le titre et la couverture diffèrent.
Cet exemplaire est dédicacé à Bobin, un des collègues de Ludovic de Francmesnil au Ministère de la guerre par qui il avait connu Huysmans.

27

LE MUSÉE DES DEUX MONDES. N° 48. 15 avril 1875. — A M. H. Lefai.

Le Musée des Deux Mondes, dirigé par Eugène Montrosier, fut une des premières revues auxquelles collabora J.-K. Huysmans.
Ce numéro contient un article, *Images d'Épinal*, qu'il reprit dans *Croquis parisiens*.

28

LA RÉPUBLIQUE DES LETTRES. Revue mensuelle. 20 avril 1876. Paris, Derenne. In-4°. — B.N., Ars., Fol. Lambert 7.

La République des Lettres, revue dirigée par Catulle Mendès, accueillit très tôt la collaboration du jeune Huysmans. Son article, *Le Salon de poésie*, marque les débuts de cette participation. En note, la rédaction de la revue ajoute que « les opinions personnelles de M. Huysmans ne sauraient engager en rien la responsabilité de la Revue ». L'article est en effet fort virulent.

29

J.-K. HUYSMANS. 1876. Photographie. — B.N., Ars., Fonds P. Lambert.

Cette photographie fut faite à Tilburg, vers 1876, alors que Huysmans, venant de Bruxelles où il s'occupait de l'édition de *Marthe*, séjournait quelques jours chez son oncle Constant Cornelis Huysmans, directeur de l'académie de Bréda.

N° 29

AUTOUR DE ZOLA (1876-1884)

30

JEAN-LOUIS FORAIN. Portrait de J.-K. Huysmans, vers 1878. Pastel. — Musée national de Versailles.

Le tableau est dédicacé par l'artiste : « A mon ami Huysmans, Forain. »

Huysmans rencontra sans doute Forain vers 1876, alors qu'ils collaboraient l'un et l'autre à *La République des Lettres*. Il y eut une certaine intimité entre les deux hommes, qui ensemble fréquentaient de mauvais lieux. Elle aboutit à ce beau portrait de Huysmans à trente ans, que le modèle conserva toujours chez lui et qu'il légua à l'acteur Henri Girard. Il possédait aussi une peinture de Forain intitulée « Le bordel » dont il se débarrassa à l'époque de sa conversion. Notons que Forain devait suivre une voie parallèle à celle de son ami. En 1900 il le visita à Ligugé et il lui écrivit le 5 janvier 1901 : « Continuez-moi vos prières, ainsi que celles des Pères, afin que je devienne un artiste chrétien. » (Cf. J. Jacquinot, *Deux amis : Huysmans et Forain*, dans *Bull. Soc. J.-K. H.*, 1959, n° 38.)

31

LETTRE DE J.-K. HUYSMANS A UN AMI, Ligugé, 31 décembre 1900. — Au colonel Sickles.

Huysmans a retrouvé Forain, arrivé à Ligugé la veille de Noël : « Mais oui, Forain est arrivé, un Forain aimable et pieux... Se retrouver après 20 ans, dans ce monde-là, en province, ce n'est vraiment pas ordinaire... »

32

JEAN-LOUIS FORAIN. Photographie (contretype). — B.N., Ars., Fonds P. Lambert.

33

THÉODORE HANNON. Rimes de joie. Frontispice de Félicien Rops. — Bruxelles, Gay et Doucé, 1881. In-8°. — B.N., Ars., 8° Lambert 113.

Venu à Bruxelles pour faire éditer *Marthe*, Huysmans y fit la connaissance, par l'intermédiaire de Camille Lemonnier, du graveur Félicien Rops et du poète Théodore Hannon, confrère de Lemonnier à *L'Art universel*. La sympathie fut réciproque et le « suffète » Hannon servit de guide à Huysmans dans la capitale belge et l'accueillit comme collaborateur de sa revue *L'Artiste*. En 1879, Huysmans écrivit une préface très élogieuse pour le volume de vers de son ami, *Rimes de joie*, le définissant comme : « un élève de Baudelaire et de Gautier, mû par un sens très spécial des élégances recherchées et des joies factices. » (Cf. *A rebours*, éd. Crès, p. 285.)

Cet exemplaire contient une dédicace de l'auteur « au mirifique préfacier J.-K. Huysmans, ces premières gourmes sont dédiées ». Il a appartenu ensuite à Lucien Descaves. On y a joint une lettre de Hannon à Huysmans, de mai 1877, lui annonçant *Opoponax*.

34

LETTRES. AMOUREUX DE MAISONS. — B.N., Ars., Ms. Lambert 32 (20).

Dans une chemise portant de sa main ces mots écrits au crayon « *Lettres. Amoureux de maisons* », Huysmans a conservé des lettres de filles à leurs protecteurs, sans doute comme documents pour *Marthe*. (Cf. *Marthe*, éd. P. Cogny, Paris, 1955.)

35

MARTHE. Manuscrit autographe. — Au colonel Sickles.

Ce manuscrit, en grande partie autographe, comporte beaucoup de corrections et de ratures.

36

MARTHE ET LA FILLE ELISA.

a) Lettre de J.-K. Huysmans à Edmond de Goncourt. 1er octobre 1876. — B.N., Mss., n. a. fr. 22466, fol. 73-74.

« Monsieur,
J'apprends que vous travaillez à un roman qui a nom *La Fille Élisa*.
Je me trouve par un hasard malheureux pour moi avoir travaillé, une année durant, sur un livre dont la donnée est, paraît-il, la même que la vôtre.
Ce volume, « Marthe » vient de paraître à Bruxelles. Il a été arrêté immédiatement en France comme outrageant la morale publique. »

b) Edmond de Goncourt. Journal de la vie littéraire, 1874-1879. Manuscrit. — B.N., Mss., n. a. fr. 22445.

Le vendredi 3 octobre, E. de Goncourt notait : « Hier, j'ai reçu un livre de M. Huysmans, *L'Histoire d'une fille*, avec une lettre qui disait le livre arrêté par la censure.
De cette persécution d'un livre semblable à celui que je fais [...] il est advenu la nuit, que j'ai rêvé que j'étais en prison, une prison aux pierres de taille lignées comme la Bastille dans un décor de l'Ambigu. »

37

AFFICHE POUR MARTHE. Paris, Morris impr. — B.N., Ars., Ms. Lambert 28 (7).

Cette affiche annonce la publication du premier volume de la *Bibliothèque naturaliste*, chez Derveaux, et signale en vente à la même librairie une biographie de Sarah Bernhardt. Dans une lettre à Huysmans du 14 octobre 1879, Derveaux se plaint que la censure refuse de laisser apposer les affiches car « il faut l'autorisation de Sarah Bernhardt, et secundo qu'il faut biffer les mots *Histoire d'une fille* ».

38

FRONTISPICE DE MARTHE. Eau-forte de J.-L. Forain, 1879. — B.N., Ars., Ms. Lambert 28.

Pour la réédition parisienne de *Marthe*, en 1879, chez Derveaux, Forain grava deux frontispices, dont celui-ci, jugé indécent, fut refusé, mais que l'on rencontre cependant joint à quelques exemplaires de l'ouvrage. Dans *Certains*, Huysmans donne ce commentaire sur Forain, particulièrement adapté à cette eau-forte : « A coup sûr personne n'a mieux que [Forain]... décrit la fille et personne n'a mieux rendu les tépides amorces de ses yeux vides, l'embûche polie de son sourire, l'émoi parfumé de ses seins, le glorieux dodinage de son chignon trempé dans les eaux oxygénées et les potasses... »

39

MARTHE. HISTOIRE D'UNE FILLE. Avec une eau-forte impressionniste de J.-L. Forain. — Paris, Derveaux, 1879. In-12.

a) Au colonel Sickles.

N° 39

Exemplaire unique tiré sur vergé, imprimé au nom de l'auteur et relié par Pougetoux, son relieur habituel, en maroquin orange, décoré de filets sur les plats et d'une dentelle intérieure.

b) B.N., Ars., Rés. 4° △ 3542.

Exemplaire réimposé dans le format in-8°, avec le frontispice et l'eau-forte de Forain refusée par Huysmans.

40

LETTRE D'EMILE ZOLA A J.-K. HUYSMANS, 13 décembre 1876. — B.N., Ars., Ms. Lambert 28 (63).

« J'ai à vous faire de grands compliments pour le roman [*Marthe*] que vous avez bien voulu m'apporter... Mais, si vous voulez mon avis tout franc, je crois que le livre gagnerait à être écrit d'une façon plus bonhomme. Vous avez un style assez riche pour ne pas abuser du style. »
Malgré ces quelques réserves, Zola se montra tout de suite amical et prêt à encourager le talent de son jeune confrère. (Cf. Céard et Caldain, *Huysmans intime, op. cit.*)

41

LETTRE DE J.-K. HUYSMANS A THÉODORE HANNON, 16 décembre 1876. — Au colonel Sickles.

Huysmans remercie Hannon de son article sur *Marthe* et, à cette occasion, fait une véritable profession de foi naturaliste : « Vous l'avez dit, je suis un réaliste de l'école de Goncourt, de Zola, de Flaubert, etc. Nous sommes à Paris un petit groupe qui sommes convaincus que le roman ne peut plus être une histoire plus ou moins enveloppée de colle de poisson comme certains remèdes pour en masquer le goût. »

42

LETTRE DE J.-K. HUYSMANS A THÉODORE HANNON, 3 décembre 1877. — Au colonel Sickles.

L'amitié et la collaboration entre Huysmans et Hannon n'ont jamais été aussi fortes : « Je vous envoie ci-joint *Similitudes*, terreur des bourgeois glabres. Un joli travail de mots. » Et Huysmans annonce que « sitôt les grues Vatard livrées, je m'attelle à votre préface ». Il poursuit par des détails très intimes sur sa vie privée.

43

SIMILITUDES. Manuscrit autographe. — B.N., Ars., Ms. Lambert 26 (22).

Ce manuscrit fut envoyé par Huysmans à Théodore Hannon afin d'être publié dans *L'Artiste,* du 9 décembre 1877.
Ce texte avait paru antérieurement dans *La République des Lettres*, du 6 août 1876, et fut repris dans *Croquis parisiens.*

44

L'Artiste. Courrier hebdomadaire. Rédacteur en chef Théodore Hannon. Nº 33, 19 août 1877. — B.N., Ars., Ms. 13418.

Ce numéro de la revue de Théodore Hannon, publiée à Bruxelles, contient le début de *Sac au dos*.

45

Sac au dos. — Bruxelles, Callewaert, 1878. In-16. — Au colonel Sickles.

Edition originale formée par le tirage à part à 10 exemplaires sur chine de la nouvelle parue dans *L'Artiste*, de Bruxelles.

46

Lettre de J.-K. Huysmans a Théodore Hannon, 24 avril 1877. — Au colonel Sickles.

Huysmans se plaint à Hannon de n'être soutenu que par Zola : « Goncourt est un égoïste qui se moque de nous, et chose monstrueuse à avouer, Flaubert... est plutôt un ennemi qu'un ami », et il relate que Céard et lui-même sont sortis de chez Flaubert navrés et abattus. Lettre étonnante si l'on songe qu'elle se place moins d'une semaine après le fameux dîner chez Trapp qui avait réuni, le 16 avril 1877, autour de Goncourt, Flaubert et Mirbeau, la jeune école naturaliste groupée auprès de Zola.

47

Emile Zola et L'Assommoir. Tirage à part de *L'Artiste*, 18 et 27 mars 1878. — B.N., Ars., 4º Lambert 8.

Ces quatre articles parurent tout d'abord dans *L'Actualité*, en 1876, puis dans *L'Artiste*, en 1877. Réunis en brochure, ils constituèrent un des premiers manifestes de l'école naturaliste.

48

Le groupe de Médan. Photographie. 110 mm × 60 mm. — A la Maison de Médan.

49

Léon Hennique. Portrait-charge par Luque. Dans *Les Hommes d'aujourd'hui*, nº 314, 1887. — B.N., Arts du spectacle, Rf. 62141.

Hennique rencontra Huysmans en 1876 à *La République des Lettres*, et ils furent vite de proches amis (se tutoyant même, ce qui pour Huysmans fut toujours exceptionnel). Ils collaborèrent ensemble aux *Soirées de Médan* et à *Pierrot sceptique*.

Huysmans est l'auteur du texte qui accompagne cette caricature.

50

J.-K. HUYSMANS ET LÉON HENNIQUE. Pierrot sceptique. — Paris, Rouveyre, 1881. In-8°. — B.N., Ars., 8° Lambert 84.

Quoique son premier article publié eût été une chronique théâtrale, Huysmans eut toujours fort peu d'attirance pour le théâtre. Il aimait cependant les mimes ; en particulier il fut un grand admirateur des célèbres Hanlon-Lees. Ainsi s'explique qu'en collaboration avec Léon Hennique, il ait composé une pantomime sur le thème de Pierrot, qui ne fut pas représentée.
Chéret, que Huysmans appréciait beaucoup, illustra la couverture.

51

PAUL ALEXIS. Photographie. — B.N., Ars., Fonds P. Lambert.

Un des six co-auteurs des *Soirées de Médan*. Il y participa avec *Après la bataille*. Selon l'expression de Zavie et Deffoux (*Le Groupe de Médan*, Paris, 1920), il était « l'ombre d'Emile Zola ».

52

LES SOIRÉES DE MÉDAN. — Paris, Charpentier, 1880. In-8°. — B.N., Impr., 8° Z. Don 594 (376).

Cet ouvrage qui rassemble six nouvelles consacrées à la guerre de 1870 par Zola et ses jeunes disciples du « groupe de Médan », est dédicacé par les six auteurs, Zola, Céard, Hennique, Maupassant, Alexis et Huysmans, à Théodore de Banville.
Théodore de Banville, dans un article du *National*, 3 mai 1880, fit une critique du recueil, estimant que c'était « un des volumes les plus attachants qui depuis longtemps aient paru ».

53

LISTE DE MOTS D'ARGOT, de la main de J.-K. Huysmans. — B.N., Ars., Ms. Lambert 26 (3).

Ces mots et expressions d'argot ont été partiellement utilisés dans *Les Sœurs Vatard*.

54

L'ATELIER DE BROCHAGE DU 11 RUE DE SÈVRES. — B.N., Ars., Ms. Lambert 29 (5).

a) Contrat de société pour l'exploitation d'une maison de satinage et de brochage sous la raison sociale « G. Huysmans et Leroux », 1er juin 1888.

b) Lettre de J.-K. Huysmans à son associé Leroux, et compte présenté par la maison Rigault [décembre 1888].

c) Patente de J.-K. Huysmans pour l'année 1889.

Cet atelier de brochage dont Huysmans avait repris l'exploitation après la mort de sa mère, lui servit pour décrire les conditions de vie et de travail des ouvrières brocheuses dans *Les Sœurs Vatard*.

rouler sa viande ds le torchon — Soussouille - arsouille
dormir   gueulées   - Soutirer au caramel - de l'argent poli... ment
- giries   haridelle
jordonner   pépin dans la tabouille   [purée degueugueule
Signer des orteils   Des histoires !   se sacent la tasse
pendre   il pleut !   une guiffée - beigne
              avoir l'inconvénient des pieds   tapé dans le nœud - épatant
              faire son jabot   faire sa tata -   tête
ti gne pour   avoir du jus - pr chic   pomper les huiles -
tignace   laisser pisser le mérinos   s'imbiber
vigouiller   à bec à l'uréline - au hasard   être vent dessus vent dedans
du bec   faire l'absinthe en parlant
Detravole.   Du maigre !
pr detravers.   abbaye des s'offe - à tous   trouillotter - exhaler une
              mômière   mauvaise odeur
              mômir - accoucher
              des mouchettes !   troombolerles gonzesses
- Frü !   rabote   aimer les filles.
morbus - pive   niquedouille
harenj sourarg
Ah! tu me la tumes !
va t'asseoir sur le bouchon ! noce de bâtons de chaises
ric-à-ric... chichement   va-de-la-gueule
Rigolo - pain de seigle œil bordé d'anchois   gourmand
              amusant   passe - lacet   banquette
avoir l'air vizvigui   peigne à porc   pour menton
être mal habillé   crachant blanc
il est rien robignol - chic.   pisseuse
ronronner - faire le   pivoiner - rougir
joli cœur   planter son poireau - attendre
                     gnavottier - Dentiste
soeurs blanches   Tabouillère - maison de triste
racines d'obois dents   rapioter - rapiécer   apparence
Seramicher - réconcilier   à la régalade
vitrés - yeux
yeux sur le plat cafetiau - repasse - mauvais café

55

LES SŒURS VATARD. — Paris, Charpentier, 1879. In-8°. — B.N., Ars., 8° Lambert 96.

Edition originale, exemplaire dédicacé à Gustave Flaubert et portant des annotations manuscrites de ce dernier.

Malgré quelques compliments, Flaubert se montra dans l'ensemble très réservé à l'égard de ce roman, réprouvant la tendance de l'auteur à privilégier le sordide.

56

LETTRE DE J.-K. HUYSMANS A EDMOND DE GONCOURT, 1878. — B.N., Mss., n. a. fr. 22466, fol. 75.

« Charpentier m'a enfin donné une réponse. Il prend mon roman. Grâce au bienveillant appui que vous avez bien voulu leur prêter, mes petites brocheuses sont assurées maintenant de se promener vers la mi-automne en belles robes jaunes dans les vitrines des libraires. » Goncourt était intervenu auprès de l'éditeur Charpentier en faveur de la publication des *Sœurs Vatard*.

57

LETTRE DE J.-K. HUYSMANS A EDMOND DE GONCOURT, 15 mars 1881. — B.N., Mss., n. a. fr. 22466, fol. 85.

Goncourt fut une des grandes admirations littéraires du jeune Huysmans, au temps de ses débuts : « Si j'ai eu l'ambition d'écrire, c'est à vos livres que je la dois. Ce sont vos romans qui m'ont les premiers et plus que tous les autres poigné et c'est à eux que je vais toujours par les heures de tristesses, car seuls ils dégagent les intimes mélancolies de l'existence. »

58

LETTRE D'EDMOND DE GONCOURT A J.-K. HUYSMANS, 24 mars 1879. — B.N., Ars., Ms. Lambert 28 (24).

Après quelque compliments sur *Les Sœurs Vatard*, Goncourt invite l'auteur à changer de voie : « Maintenant voulez-vous un conseil d'un vieux, eh bien, je crois que *Germinie Lacerteux*, *L'Assommoir*, *Les Sœurs Vatard* ont à l'heure qu'il est épuisé ce que j'appellerai le canaille littéraire et je vous engage à choisir pour milieu de votre prochain livre une sphère autre, une sphère supérieure. »

59

LETTRE DE J.-F. RAFFAELLI A J.-K. HUYSMANS, mars 1879. — B.N., Ars., Ms. Lambert 28 (80).

Raffaëlli, qui devait illustrer l'édition de 1909 des *Sœurs Vatard*, se montre, dès la première édition du livre, un sincère admirateur.

60

LETTRE DE HENRY CÉARD A THÉODORE HANNON, s.d. — B.N., Ars., Ms. 15060/363.

Henry Céard accompagna son ami Huysmans en Belgique, en 1879, lors d'un voyage fort animé. A cette occasion, il devint également un ami de Théodore Hannon et entretint avec lui une abondante correspondance, véritable chronique du mouvement naturaliste.

Dans cette lettre il s'agit du dernier livre de Huysmans : « Huysmans a dû vous dire le succès persistant des *Sœurs Vatard*, un Claretie déchaîné, la presse aboyant, toute l'artillerie du feuilleton braquée sur lui, Zola et le naturalisme. »

61

L'AFFAIRE DE « LA COMÉDIE HUMAINE ».

a) Déclaration de publication d'une revue au Ministère de l'Intérieur par Derveaux, 8 octobre 1880. — A.N., F^{18} 327.

b) Lettre de Henry Céard à Emile Zola, 30 octobre 1880. — B.N., Mss., n. a. fr. 24516.

c) Lettre de J.-K. Huysmans à Emile Zola, 4 novembre 1880. — B.N., Mss., n. a. fr. 24520.

d) Notes sur le procès Derveaux, de la main de J.-K. Huysmans. — B.N., Ars., Ms. Lambert 13.

En 1880, Huysmans eut l'idée de lancer un hebdomadaire naturaliste sous le titre de *La Comédie humaine*. Participaient à cette entreprise Emile Zola, et les autres membres du groupe de Médan, Goncourt, Camille Lemonnier, Harry Alis, Robert Caze. Derveaux, l'éditeur de *Marthe*, devait assurer la publication de la revue. Mais dès le début les difficultés s'accumulèrent, et dans sa lettre du 4 novembre Huysmans s'en plaint vivement à Zola. Finalement, l'affaire échoua complètement et il démissionna de son poste de rédacteur en chef. Malgré une tentative de reprise par Zola, tout se termina par un procès à Derveaux pour rupture de contrat, et Huysmans renonça désormais à tous projets journalistiques.

62

LETTRE DE J.-K. HUYSMANS A EMILE ZOLA [23 juin 1881]. — B.N., Mss., n. a. fr. 10321, fol. 408-409.

Zola n'avait guère de scrupule à utiliser le zèle de ses jeunes disciples, et à leur faire faire des recherches documentaires pour nourrir le réalisme de ses romans.

Dans cette lettre, Huysmans rend compte à Zola, d'une façon très précise, d'une enquête sur les numéros 22 et 24 de la rue Saint-Roch.

Ces renseignements devaient servir pour *Pot-Bouille*.

63

LE ROMAN EN 1886. Dans *Le Charivari*, 2 septembre 1886. — B.N., Ars., Fol. Jo 108.

Cette caricature d'Emile Cohl (Coll-Toc) représente l'école naturaliste. A la suite de Zola, on y remarque Huysmans qui, pourtant, à cette date avait déjà pris ses distances avec le naturalisme.

LE
ROMAN
EN 1886

YA QU'NOUS

YA QU'NOUS

YA QU'NOUS

Emile Cohl

OHNET — MAQUET — GONZALÈS — BOUVIER — TONY REVILLON — LUBOMIRSKY — DE MONTÉPIN — CADOL — THEURIET — H. MALOT — ÉLIE BERTHET — RICHEBOURG —
STAPLEAUX — DUBUT DE LA FOREST — A. DELPIT — CHERBULIEZ — ULBACH — HALÉVY — HOUSSAYE — A. DUMAS — CLARETIE — FEUILLET — VAST-RICOUARD —
— ZOLA — DE GONCOURT — A. DAUDET — MAUPASSANT — BOURGET — HUYSMANS.

64

Emile Zola a Médan. Dans *La Revue illustrée*, 15 février 1887. — B.N., Arts du spectacle, Rj 272.

Cette planche de La Barre, représentant Zola à Médan, illustre un article de Henry Céard sur *Zola intime*.

Dans une lettre à Zola du 18 octobre 1886 (B.N., Mss., n.a.fr. 24520), Huysmans en parle en ces termes : « amitiés à Mme Zola, qui va avoir un bien joli portrait dessiné de son mari dans *La Revue illustrée* ».

65

Le Manifeste des Cinq. Lettre d'Emile Zola à J.-K. Huysmans, 21 août 1887. — B.N., Ars., Ms. Lambert 28 (63).

Dans *Le Figaro* du 18 août 1887, Descaves, Guiches, Bonnetain, Rosny et Margueritte, plus ou moins à l'instigation d'Edmond de Goncourt, lancèrent une très violente attaque envers Zola, au nom de la littérature décente. Quoique s'étant déjà fort écarté de la voie du naturalisme, Huysmans ne s'associa pas à cette diatribe d'au moins deux de ses proches amis et tint à en assurer Zola. (Cf. *Lettres inédites à Emile Zola*, éd. P. Lambert, 1953, p. 129.) Celui-ci lui répondit qu'il avait « bien reconnu le Rosny dans l'entortillage pédant des phrases et [que] Bonnetain ne pouvait être que le lanceur. Tout cela est comique et sale ».

66

Lettre de J.-K. Huysmans a Lucien Descaves, août 1887. — B.N., Ars., Ms. Lambert 21 (17).

« Mais non, mon cher Descaves, je ne suis pas fâché avec vous, pour une affaire qui en somme ne me regarde même pas. »

Il s'agit du « manifeste des cinq », dont Descaves fut un des signataires, mais que Huysmans réprouva.

67

Lettre de Paul Brulat a J.-K. Huysmans, 18 septembre 1905. — B.N., Ars., Ms. Lambert 28 (9).

Huysmans ne renia jamais son amitié avec Zola, et en 1903, dans sa préface pour la réédition d'*A rebours*, il rappelle combien celui-ci le traita amicalement malgré leurs divergences car, dit-il, « il était un très brave homme ».

Il n'alla cependant pas au pèlerinage de Médan auquel le convie cette lettre de Paul Brulat, car il était alors en voyage en Belgique.

68

En ménage. — Paris, Charpentier, 1881. In-18. — Au colonel Sickles.

Exemplaire de l'auteur, n° 2 sur chine, portant l'ex-libris autographe de Huysmans.

69

Deux lettres de Paul Cézanne a Emile Zola, 7 et 20 mai 1881. — B.N., Mss., n. a. fr. 24516.

L'accueil fait à *En ménage* par la critique fut des plus réservés. Aurélien Scholl en particulier en donna un compte rendu sarcastique et railleur dans *L'Evénement*, du 17 avril 1881. Le livre trouva cependant des amateurs, comme en témoignent ces deux lettres de Cézanne à Zola : non content d'avoir apprécié le roman, Cézanne a également fait partager son opinion par Pissarro.

70

J.-K. HUYSMANS. 1881. Photographie Lagriffe. — B.N., Ars., Fonds P. Lambert.

On peut accompagner ce portrait de la description que Jean Richepin donne de Huysmans dans le *Gil-Blas* du 21 avril 1880 : « Le chef broussailleux, avec, sur les bajoues, une barbe inquiète de primitif qui met des tons d'or à la peau en parchemin d'un nerveux. Gracile, le ventre en limande, il se dandine, furetant du nez, et piquant les choses avec les gluaux de ses yeux, dans un sautillement de chat qui joue. »

71

A VAU L'EAU. — Bruxelles, Kistemaeckers, 1882. In-16. — Au colonel Sickles.

Exemplaire de l'édition originale ayant appartenu à Edmond de Goncourt, relié par Pierson, son relieur habituel.

Il porte cette dédicace : « A Edmond de Goncourt, son bien dévoué Huysmans. »

72

J.-K. HUYSMANS. 1882. Photographie Lagriffe. — B.N., Ars., Fonds P. Lambert.

Cette photographie a servi de modèle pour l'eau-forte gravée par Amédée Lynen en frontispice de l'édition originale de *A vau l'eau* (Bruxelles, 1882). Huysmans se plaignit d'ailleurs vivement de l'interprétation à son éditeur, Kistemaeckers : « J'ai reçu ce matin le portrait ! Hélas ! Michiels avait du génie à côté de cet aquafortiste. Ce n'est ni ressemblant à la photographie, ni même exécuté. »

Cette photographie servit également de modèle pour le portrait gravé par F. Desmoulin pour l'édition Charpentier des *Soirées de Médan*, 1890.

73

CROQUIS PARISIENS. Eaux-fortes de Forain et Raffaëlli. — Paris, Vaton, 1880. In-8°. — Au colonel Sickles.

Cet exemplaire très rare sur vieux japon comporte une double suite des 10 eaux-fortes, sur vieux japon et hollande, y compris les deux planches refusées qui devaient illustrer les *Folies-Bergère*, et le portrait de Huysmans par Raffaëlli. On y a joint une note autographe de J.-K. Huysmans sur Raffaëlli.

En même temps qu'il composait des romans naturalistes, Huysmans se consacrait également à un autre thème qu'il affectionna toujours particulièrement : la description de scènes ou de paysages parisiens.

74

LETTRE DE J.-K. HUYSMANS A THÉODORE HANNON, 10 mars 1884. — Au colonel Sickles.

En cette année 1884, s'éloignant de plus en plus des recherches naturalistes, Huysmans annonce à son vieil ami Hannon le thème de son prochain livre : « C'est une névrose suivie pas-à-pas sur le descendant d'une grande race, qui existe, qui porte un nom illustre, que je connais... C'est un tour de force qui sera plus ou moins réussi. »

A plusieurs reprises, dans sa correspondance, Huysmans présente à ses amis le futur *A rebours* à peu près dans les mêmes termes.

III

A REBOURS

A rebours est un livre charnière dans l'œuvre de Huysmans et un livre dont l'étrangeté a surpris tout le monde. On comprend qu'il ait déconcerté ses amis naturalistes et Zola en particulier, auprès duquel Huysmans se défendit mollement du reproche de trahison. Désormais, celui-ci est sur la pente qui le conduira à l'occultisme, au mysticisme et finalement aux certitudes de la religion.

Cet ouvrage, construit de façon originale, au point qu'on a pu voir en lui un précurseur du « nouveau roman », est un livre fourre-tout. Il nous présente un inventaire des extravagances qu'on peut prêter à un névrosé fin-de-siècle, conscient de la décadence de son époque mais en savourant les aspects délicieux. Des Esseintes se retire du monde à l'intérieur d'un logis dont il fait « une thébaïde raffinée ». Et bien que l'expérience finisse mal et que la maladie l'emporte, il n'en a pas moins su jouir auparavant de tous les avantages apportés par une maison ingénieusement aménagée, par la création d'alcools et de parfums des plus subtils, par la possession d'une bibliothèque singulièrement composée et par la contemplation d'œuvres d'art exceptionnelles. De ces expériences, quelques-unes deviendront à la mode grâce au livre, et certains des écrivains et des artistes aimés par Des Esseintes-Huysmans lui devront une partie de leur notoriété.

Il serait difficile de reconstituer tous les éléments dont se compose cet univers artificiel. On en trouvera ici quelques exemples évoquant les livres et les images placés par l'auteur auprès de son héros et que souvent il possédait lui-même. Et aussi le retentissement qu'eut le roman sur des esprits aussi différents que Paul Bourget, Paul Valéry ou Oscar Wilde. Sans oublier que Des Esseintes n'est pas né tout armé dans la tête de son auteur, mais qu'il cristallise les fantasmes d'une lignée de personnages fictifs créés par la littérature, de Gautier à Edgar Poë, et de personnages réels comme le roi Louis II de Bavière ou le gentilhomme parisien Robert de Montesquiou.

J.L.

INSPIRATIONS ET MODELES

75

GIOVANNI BOLDINI. Portrait de Robert de Montesquiou. Huile sur toile. — Palais de Tokyo.

Boldini (1842-1931), après avoir travaillé à Londres fut à partir de 1872 un peintre mondain essentiellement parisien. Grand seigneur « fin de race » et « fin de siècle », Robert de Montesquiou (1855-1921) reste célèbre beaucoup moins par ses poèmes contournés et médiocres que par l'influence qu'il a exercée, en partie malgré lui, sur les goûts et la littérature de son époque. N'a-t-il pas en effet servi de modèle au Phocas de Jean Lorrain, au « Paon » de Chantecler mis en scène par Rostand, à la figure proustienne de M. de Charlus ? Mais la notoriété lui vint dès 1884 quand les milieux littéraires comprirent que Huysmans avait transposé quelques-unes de ses extravagances dans le personnage de Des Esseintes. Huysmans, en fait, sut utiliser le récit que lui avait fait Mallarmé d'une visite à Montesquiou, en 1883, dans son appartement quai d'Orsay. On retrouve en effet dans le roman certains arrangements que le gentilhomme esthète avait réalisés pour lui-même, comme l'utilisation de meubles d'église ou la présence d'un traîneau sur une peau d'ours blanc. Montesquiou avait également, comme Des Esseintes, fait dorer la carapace d'une tortue. Dans ses mémoires, écrits à la fin de sa vie (*Les Pas effacés*, Paris, Emile-Paul frères, 1923), Montesquiou reconnaît ces rapprochements tout en déplorant « le récit aussi indistinct que sommaire » fait par Mallarmé à Huysmans et en revendiquant bien haut sa priorité dans le domaine des arrangements ingénieux.

N° 76

76

ROBERT DE MONTESQUIOU en costume florentin, dans le rôle de Zanetto du *Passant* de François Coppée. 1874. Photographie Nadar. — B.N., Mss., n. a. fr. 15114.

Photographie inédite de Montesquiou à 19 ans, prise à l'occasion d'une représentation à Compiègne, chez la baronne de Poilly, de la petite pièce de François Coppée, qui connaissait alors un vif succès. L'épreuve porte, inscrit de la main du modèle, sans doute postérieurement, ce vers, bien dans le ton artificiel de Des Esseintes :

« Un iris simulé debout dans une
[eau feinte. »

77

ROBERT DE MONTESQUIOU. Deux photographies. — B.N., Mss., n. a. fr. 15038 et 15039.

La première de ces photographies a été légèrement retouchée. L'autre, prise à l'époque de la rue Franklin, montre Montesquiou sur le perron de l'hôtel particulier qu'il habita à partir de 1890, tenant un vaste parasol japonais.

78

L'APPARTEMENT DE ROBERT DE MONTESQUIOU, quai d'Orsay, vers 1880. Trois photographies. — B.N., Mss., n. a. fr. 15038.

C'est vers 1878 que Montesquiou arrange, dans l'appartement familial, quelques pièces selon ses goûts. C'est le début de ce qu'il désignera dans ses mémoires (*Les Pas effacés*, 1923) comme le meilleur, avec ses poèmes, de son activité de gentilhomme oisif, une « fureur des arrangements décoratifs, des appartements ornés, des installations magnifiques ». On y trouve une accumulation de bibelots, fréquente d'ailleurs à cette époque, des japonaiseries, des meubles rares, mais aussi une recherche d'associations originales des objets, ce que Montesquiou appelle lui-même « une conversation ingénieuse et parfois saisissante, qui réveille l'appétit des yeux et se communique à l'âme ». C'est ce logis qu'il fit visiter à Mallarmé qui, très frappé par l'atmosphère ingénieuse de tels arrangements, les décrivit à Huysmans. Ce dernier, sans voir lui-même les lieux, utilisa plusieurs détails imaginés par Montesquiou et prêta à Des Esseintes une conception voisine de celle du modèle.

79

ROBERT DE MONTESQUIOU. La Morsure. Manuscrit autographe au crayon. — B.N., Mss., n. a. fr. 15101.

Manuscrit d'un poème, rédigé sur un papier gris, portant en tête une photographie de l'auteur assis à son bureau. Il montre l'écriture caractéristique, avec ses fioritures, de celui qui se nommait « le chef des odeurs suaves ».

80

ROBERT DE MONTESQUIOU. Deux dessins de fleurs. Aquarelle et plume. — B.N., Mss., n. a. fr. 15349.

Un autre aspect des talents multiples de Montesquiou.

81

L'ART DES PARFUMS.

a) Septimus Piesse. Des odeurs, des parfums et des cosmétiques,... 2e éd. française. Paris, J.-B. Baillière et fils, 1877. In-16. — B.N., Ars., 8° Lambert 524. Exemplaire provenant de la bibliothèque de Huysmans.

b) Catalogue des parfumeries superfines et savons de toilette de la fabrique Dissey et Piver,... A la Reine des fleurs, rue Saint-Martin,... Paris, Impr. de H. Balzac, 1827. In-8°. — B.N., Impr., 8° V. 403 (Recueils).

Le chapitre X d'*A rebours* est consacré à l'art des parfums dont la « précision factice » séduit Des Esseintes qui s'essaye à en composer de nouveaux. Huysmans s'est visiblement inspiré du traité de Piesse et sans doute de cette plaquette (citée par M. Fumaroli dans son édition d'*A rebours*). Il est d'ailleurs amusant de constater que celle-ci sortait des presses de Balzac au temps où il venait d'obtenir un brevet d'imprimeur et que le nom de Balzac est mentionné de façon assez inattendue dans ce chapitre sur les parfums.

82

CHARLES BAUDELAIRE. Les Fleurs du mal, précédées d'une notice par Théophile Gautier. — Paris, Michel Lévy frères, 1868. In-16. — B.N., Ars., 8° Lambert 314.

3ᵉ édition originale. Exemplaire de Huysmans.

On sait quelle place Huysmans attribuait à Baudelaire dans la littérature contemporaine. Avec Flaubert, Goncourt et Zola, il en fait l'un des maîtres qui ont le mieux « pétri » l'esprit de Des Esseintes : « Son admiration pour cet écrivain était sans borne. [...] Il avait révélé la psychologie morbide de l'esprit qui a atteint l'octobre de ses sensations. » Moins heureux que son héros, Huysmans ne possédait pas un exemplaire des *Fleurs du mal* imprimé spécialement pour lui, « avec les admirables lettres épiscopales de l'ancienne maison Le Clerc... », et orné d'une reliure particulièrement raffinée.

83

LETTRE DE STÉPHANE MALLARMÉ A J.-K. HUYSMANS, 12 mai 1883. — Bibl. litt. J. Doucet, MNR 459.

« Que devient le si noble monsieur à qui je pense fréquemment, dans les livres et les fleurs ? »

Lors de la composition d'*A rebours*, Huysmans avait longuement exposé à Stéphane Mallarmé, vivement intéressé, ses idées pour le personnage de Des Esseintes.

84

Dʳ ALEXANDRE AXENFELD. Traité des névroses,... 2ᵉ édition, augm., ... par Henri Huchard,... — Paris, G. Baillière, 1883. In-8°. — B.N., Impr., Td⁸⁵. 605.

Indiqué par Huysmans lui-même comme une des sources à partir desquelles il a bâti l'évolution de Des Esseintes. Son héros est, en effet, présenté comme une victime de la névrose, maladie alors à la mode : une telle analyse donne une certaine ambiguïté aux choix et aux goûts que l'auteur lui prête. Dans une lettre à Zola, ce dernier affirme avoir voulu, en bon naturaliste, étudier scrupuleusement la maladie : « Je me suis gêné, tout au long du livre, à être parfaitement exact. J'ai pas à pas suivi les livres de Bouchut et d'Axenfeld sur la névrose. » (*Lettres... à Zola*, p. 202. — Cf. J. Lethève, *La névrose de D. E.*, dans *Cahiers de la Tour St-Jacques*, VIII, 1963.)

85

ADOLF EBERT. Histoire générale de la littérature du Moyen Age en Occident,... trad. de l'allemand par le Dr Joseph Aymerie,... et le Dr James Condamin, tome I : Histoire de la littérature latine chrétienne, depuis les origines jusqu'à Charlemagne. — Paris, E. Leroux, 1883. In-8°. — B.N., Impr., 8° Z. 2224.

Huysmans a largement utilisé cet ouvrage, auquel il emprunte souvent des formules précises, pour le chapitre III d'*A rebours*. On trouvera quelques-uns de ces rapprochements dans l'édition de M. Fumaroli (éd. Folio, 1977). Cette source avait déjà été indiquée, dès 1909, par Rémy de Gourmont, d'autant mieux informé que, collaborateur à cette époque de la Bibliothèque nationale, il avait fourni à Huysmans une partie de sa documentation.

86

ARTHUR SCHOPENHAUER. Pensées, maximes et fragments,... Traduit, annoté,... par J. Bourdeau. — Paris, G. Baillière, 1880. In-16. — B.N., Impr., 8° R. 2362.

L'influence du pessimisme de Schopenhauer, très étendue à cette époque, a marqué Huysmans qui cite ce volume dans une lettre à Zola de mars 1884.

Dans le dernier chapitre d'*A rebours*, Des Esseintes « appelait à l'aide pour se cicatriser les consolantes maximes de Schopenhauer [...] »

87

EDMOND DE GONCOURT. La Maison d'un artiste. — Paris, G. Charpentier, 1881. 2 vol. in-16. — B.N., Ars., 8° N.F. 22319.

Dans ce livre, paru en 1881, Goncourt faisait à la fois un catalogue des œuvres dont son frère et lui avaient su s'entourer, et une description de la façon raffinée dont était aménagée la maison du boulevard Montmorency.

Cette évocation a, bien évidemment, influé sur la composition d'*A rebours*. Dans une lettre du 15 mars 1881, Huysmans avait exprimé son admiration à Goncourt.

88

FÉLIX BRACQUEMOND. Portrait d'Edmond de Goncourt. Eau-forte 1881, 59 × 42 cm. — Archives de l'Académie Goncourt, en dépôt à la Bibliothèque de l'Arsenal.

Cette œuvre de Bracquemond figurait au Salon des Indépendants de 1880. Huysmans qui l'avait remarquée, la jugeait « d'une dureté excessive, [...] portrait intéressant toutefois par la saisie de l'artiste dans son intérieur, au milieu de ses collections d'œuvres précieuses ». (*L'Art moderne*, p. 111.)

La gravure, en effet, évoque bien le Goncourt de *La Maison d'un artiste*, qui allait paraître quelques mois plus tard. Huysmans en possédait une épreuve. La présente épreuve porte une dédicace d'Edmond de Goncourt à Gustave Geffroy.

89

LETTRE DE J.-K. HUYSMANS A EDMOND DE GONCOURT, 21 mai 1884. — B.N., Mss., n. a. fr. 22466, fol. 93.

« Je pensais aller vous voir aujourd'hui pour [...] vous porter mon hobereau névrosé sur hollande mais — les exemplaires ne sont pas prêts ! — Je les aurai bien, j'espère, mercredi prochain, et vous présenterai ce volume dont la laideur imprimée est vraiment rare ! »

LE MUSEE IMAGINAIRE DE DES ESSEINTES

90

A REBOURS. Manuscrit autographe. — B.N., Mss., n. a. fr. 15761.

Entièrement autographe, à l'exception de quelques pages qui ont été copiées par une autre main, ce manuscrit, riche en ratures et en repentirs, est encore, dans le détail de l'expression, souvent différent du texte définitif. A la fin du chapitre 2, la page de gauche nous montre les nombreuses variations par lesquelles Huysmans s'est efforcé de donner au paysage « l'air factice » qui plaît à Des Esseintes. Le feuillet de droite, moins travaillé, traduit le dégoût que provoque chez le personnage — en cela très proche de l'auteur — la sottise et même simplement la physionomie de certains de ses contemporains.

91

GUSTAVE MOREAU. L'Apparition, 1876. Aquarelle, 105 × 72 cm. — Musée du Louvre, Cabinet des dessins.

Huysmans prête à Des Esseintes la possession de deux œuvres de Gustave Moreau, dont cette grande aquarelle. La longue description présentée au chapitre V d'*A rebours* a grandement contribué à attirer l'attention du public sur l'art de Gustave Moreau. « L'Apparition » avait été en fait exposée au Salon de 1876 (n° 2774), avec une toile, aujourd'hui à Los Angeles, mais d'inspiration voisine : « Salomé dansant devant Hérode. »

La figure de Salomé, qui hanta Moreau, représente par son mélange de religiosité et d'érotisme un des mythes de la période fin-de-siècle. On la retrouve entre autres chez Mallarmé, Jean Lorrain et Oscar Wilde. Elle doit d'ailleurs quelque chose à Flaubert par l'intermédiaire de Salammbô et de la Reine de Saba de *La Tentation de saint Antoine*.

Dans cette œuvre, Des Esseintes voit « enfin réalisée cette Salomé surhumaine et étrange qu'il avait rêvée [...] Elle devenait en quelque sorte la déité symbolique de l'indestructible Luxure, la déesse de l'immortelle Hystérie, la Beauté maudite ». Et plus loin : « Comme le disait Des Esseintes, jamais à aucune époque l'aquarelle n'avait pu atteindre cet éclat de coloris. »

92

VERS DE STÉPHANE MALLARMÉ COPIÉS PAR HUYSMANS. 1 feuillet manuscrit. — B.N., Ars., Ms. Lambert 26 (4).

Feuille préparatoire à la rédaction d'*A rebours*. Selon son habitude, Huysmans a noté des listes de mots, mais il a aussi relevé les deux passages des poèmes de Mallarmé — copiés à la suite comme s'il s'agissait d'un même texte — qu'il fait admirer par Des Esseintes. Le début est emprunté à « Hérodiade » et fournit le motif d'une rêverie évoquant l'héroïne de Gustave Moreau. Les derniers vers, « des vers mystérieux et câlins », figurent dans *L'Après-midi d'un faune*.

93

FRANCISCO GOYA. Une planche des « Caprices » : 60. Ensayos. — B.N., Est., Bf 4, Rés.

Dans sa recherche de l'étrange et du fantastique, il était fatal que Des Esseintes possédât des gravures de Goya. De fait, il consacre de nombreuses heures à s'abîmer devant « ses scènes vertigineuses », celles qui montrent, en particulier, sorcières et démons. Cette composition où, devant un bouc, une sorcière nue marque un homme pour qu'il appartienne au diable pourrait annoncer par avance les messes noires de *Là-bas*. Le seul reproche formulé dans *A rebours* contre Goya, c'est « l'universelle admiration que ses œuvres avaient conquise ». Une telle unanimité rebute l'esthète...

94

JAN LUYKEN. « Septième playe, grêle et feu ». Planche pour les Plaies d'Egypte, chez P. Mortier. — B.N., Est., Ec 46.

Des Esseintes avait accroché dans son boudoir des estampes de ce graveur, dont il aimait surtout la suite « d'épouvantables planches » représentant les persécutions religieuses. Par ailleurs, Huysmans a consacré un chapitre de *Certains* à cet artiste protestant si attentif à la cruauté. Il évoque particulièrement la suite des plaies d'Egypte : « ...Sous les langues de flammes qui tombent d'un firmament fou, se tordent des moribonds sans formes humaines, des têtes mangées par des bouches de plaies, des bras en manchon... » (Cf. n° 130.)

95

ODILON REDON. Deux lithographies pour *La Tentation de saint Antoine*, de Flaubert, 1re série, 1888. — B.N., Est., 130 Rés.

a) « C'est une tête de mort avec une couronne de roses... »
b) « Et toutes sortes de têtes effroyables surgissent... »
La place privilégiée qu'accorde Des Esseintes aux dessins d'Odilon Redon, a largement

Quant au village même, il l'ignorait. Por sa fenêtre un soir il avait regardé le paysage qu'il dominait, jusqu'aux pieds d'une haute colline hérissée de bois, couronnée à son sommet par la batterie, perdue dans le ciel.

quant au village, il le connaissait à peine. Par sa fenêtre ouverte, une nuit, il avait regardé le silencieux paysage qui se développait jusqu'au pied d'un coteau sur les crêtes desquels se dressaient les bois de Verrières.

Dans l'obscurité, à gauche, à droite, s'élargeaient des masses confuses, dominés au loin de ciel. Par les batteries et des forts, enveloppés de fumée et de coton, par des grands nuages.

Au clair de lune, dédoublant les arbres de la plaine, causant des ombres de troncs noirs sur le sol blanc le paysage paraissait congelé, durci. Et, à l'air tiède, la campagne prenait des allures désertes polaires, dont le sol l'argent mat serait ça et là, piquetée par la lumière, de points brillants de givre.

Ce paysage de féérie ne déplaisait pas, à cause de son air factice, à des Esseintes - mais, depuis le jour où il avait battu, pendant toute une après-midi, le village jamais il n'avait voulu se promener sur les routes ou par les rues, la verdure étant luxuriante, moins souffreteuse, moins dolente que celle des environs de Paris n'offrait même pas ce charme délicat et attendrissant que dégagent les végétations maladives et grêles, qui poussent, chétives, graviers, près des remparts —

D'ailleurs, il avait rencontré, dans le village, par là des têtes de bourgeois à favoris, des têtes de négociants et de magistrats, et de chefs de bureau et de magistrats, et cette vue lui suscitait inévitablement lever le cœur. et des hauts de cœur. et des officiers dont l'importance

comme entourée de ses horizons noirs, la plaine semblait poudrée de riz et enduite de blanc cold-cream; dans l'air tiède, agitant éventant les herbes et les fleurs et distillant des parfums d'épices, les arbres, frottés de céruse par la lune, échevelaient des feuillages pâles, piqués de paillettes d'argent comme des coiffures et le sol semblait les troncs d'arbres que dédoublés par la lumière

au clair de lune, le sol paysage semblait enveloppé de poudre de riz et enduit de blanc cold-cream et de l'air tiède distillant des odeurs d'épices, les arbres à la lune les cheveux feuilles pâles semblaient ça et là, semés de paillettes d'acier par la lune

Et ce paysage au sol poudre de noires comme sous l'ombre des troncs d'arbres qui dédoublait la lumière, déplaisait en raison de son maquillage et de son air factice, à des Esseints de fontenay

des bourgeois ventrus et des magistrats comme des et des jeunes gens, et depuis cette époque, en horreur de la face humaine, s'était encore — de la face humaine!

contribué à faire connaître un artiste singulier, jusque-là ignoré du public. Face à ses amis naturalistes, Huysmans a quelquefois prétendu que les œuvres de Redon n'avaient été pour lui que prétexte à phrases. Mais les excellentes relations qu'il entretint avec l'artiste, la possession par lui d'un fusain de Redon (« L'Espérance ») qu'il conserva jusqu'à son dernier jour, prouvent la sincérité de son admiration. Dans *Certains*, il devait s'attarder sur cette suite de lithographies illustrant Flaubert et décrire particulièrement les deux planches exposées.

96

RODOLPHE BRESDIN. Deux lithographies.

a) La Comédie de la Mort, 1854. — B.N., Est., Ef 362, Rés., t. I.

b) Le Bon Samaritain, 1868. — A Mme Pierre Lambert.

Bresdin, que Montesquiou devait appeler « l'inextricable graveur », était bien fait par l'originalité de son talent, longtemps méconnu, pour plaire à Huysmans et à Des Esseintes. Le romancier place ces deux estampes dans le vestibule de son héros : « On eut dit d'un dessin de primitif, d'un vague Albert Dürer, composé par un cerveau enfumé d'opium. » Lui-même possédait l'épreuve du Bon Samaritain, exposée ici.

LA BIBLIOTHEQUE DE DES ESSEINTES

97

CARACTÈRES AUGUSTAUX DE LOUIS PERRIN, imprimeur à Lyon, page de spécimens typographiques, 1865. — B.N., Impr., Rés. Atlas Q. 22 (3).

« A Paris jadis, il avait fait composer, pour lui seul, certains volumes que des ouvriers spécialement embauchés tiraient aux presses à bras ; tantôt il recourait à Perrin de Lyon dont les sveltes et purs caractères convenaient aux réimpressions archaïques des vieux bouquins [...] » (*A rebours*, chap. XII.)

98

APULÉE. OPERA, a Joanne Andrea, episcopo Aleriensi, edita... Roma, in domo P. de Maximo. 1469. In-fol. — B.N., Ars., Fol. B. 979 Rés.

Edition princeps de l'œuvre d'Apulée, celle-là même devant laquelle s'arrêtait la curiosité de Des Esseintes lorsqu'il regardait sa collection de livres latins. « Cet Africain le réjouissait ; la langue latine battait le plein dans ses *Métamorphoses* ; elle roulait des limons, des eaux variées, accourues de toutes les provinces... »

99

JACOB SPRENGER. Malleus maleficarum... Hac postrema editione per F. Raffaelem Maffeum... illustratus et a multis erroribus vindicatus... Venetiis, apud J.A. Bertanum, 1576. In-8°. — B.N., Impr., E. 7450.

Le P. Sprenger, dominicain allemand (v. 1436-1495), inquisiteur des diocèses rhénans, chargé de poursuivre les sorciers, écrivit ce « marteau des maléfices » pour décrire les divers aspects de la sorcellerie. Voici une des nombreuses rééditions de ce manuel que Des Esseintes consulte avec délectation au chap. XII d'*A rebours*, où Huysmans fait une analyse du sadisme qui annonce un des thèmes principaux de *Là-bas*.

100

PÉTRONE. Satyricon Petronii Arbitri,... Accesserunt Jani Douzae Praecidanea,... Lutetiae Parisiorum, G. apud Linocerium, 1585. In-8°. — B.N., Impr. Z. 17052.

C'est à partir de Pétrone que Des Esseintes s'intéresse à la littérature latine dite de la décadence. Ce Pétrone qu'il qualifie d'« observateur perspicace », « délicat analyste », « merveilleux peintre ». Et « le bibliophile qui était en lui » manie « avec des mains dévotes la superbe édition qu'il possédait du *Satyricon*, l'in-8° portant le millésime 1585 et le nom de J. Dousa à Leyde ».

101

ERNEST HELLO. L'Homme,... précédé d'une introd, par... Henri Lasserre. — Paris, V. Palmé, 1872. In-8°. — B.N., Impr., R. 38293.

Lorsque Des Esseintes a fini de « repousser dans les angles obscurs de sa bibliothèque » les livres de polémistes catholiques qu'il avait étudiés jadis chez les Pères, « un seul volume restait installé sur un rayon, à portée de sa main, *L'Homme* d'Ernest Hello ».

Ce n'est pas que Huysmans approuve sans réserve ce philosophe aujourd'hui bien oublié. Après plusieurs pages d'analyse, il conclut pourtant : « Quoi qu'il en fût, des Esseintes se sentait attiré par cet esprit mal équilibré mais subtil ; la fusion n'avait pu s'accomplir entre l'adroit psychologue et le pieux cuistre et ces cahots, ces incohérences mêmes constituaient la personnalité de cet homme. »

102

STÉPHANE MALLARMÉ. L'Après-midi d'un faune, églogue,... — Paris, A. Derenne, 1876. In-4°. — Bibl. litt. J. Doucet.

Sous couverture de feutre blanc du Japon, avec bois de Manet coloriés à la main.

C'est cette plaquette, tirée à peu d'exemplaires et dont Mallarmé avait surveillé l'exécution raffinée, qui est décrite au chapitre XIV d'*A rebours* : « Des Esseintes éprouvait aussi de captieuses délices à palper cette minuscule plaquette, dont la couverture en feutre du Japon, aussi blanche qu'un lait caillé, était fermée par deux cordons de soie, l'un rose de Chine et l'autre noir. »

Mais il n'admire pas moins le texte même de « cet extraordinaire poème » aux « images nouvelles et invues ».

103

LÉON GRUEL. Reliure, 1855. Sur un livre d'heures d'après les manuscrits de la Bibliothèque royale, Paris. Engelman et Graf, 1846. — B.N., Impr., Rés. B. 27680.

Reliure en velours rouge, ornée de plaques d'ivoire ciselées à l'imitation de la sculpture gothique, d'après des compositions d'E. Moreau. Fermoirs d'argent. Gardes de soie moirée. Tranches dorées et ciselées.

Des Esseintes « s'était procuré [...] des livres uniques [...] qu'il faisait revêtir [...] d'irréprochables reliures [...], des reliures pleines à compartiments et à mosaïques, doublées de tabis ou de moire, ecclésiastiquement ornées de fermoirs et de coins, parfois même émaillées par Gruel-Engelmann d'argent oxydé et d'émaux lucides ». (*A rebours*, chap. XII.)

104

CROQUIS PARISIENS. Nouvelle édition, augm. d'un certain nombre de pièces et d'un portrait,... — Paris, L. Vanier, 1886. In-8° oblong. — B.N., Impr., 8° Li³. 751.

Quelques particularités de cette édition méritent d'être signalées, tant on pourrait penser qu'elle a été réalisée pour le héros d'*A rebours*. En effet, la justification du tirage est ainsi présentée : « De ce livre imprimé dans le format presque perdu de quelques eucologes, il a été tiré : 13 exemplaires sur papier du Japon, des factoreries hollandaises de Décima ; — 13 exemplaires sur papier bambou, des comptoirs du Brahmapoutre ; — 13 exemplaires sur papier à chandelle, vendu par un Sieur Chiquet, beurrier, rue du Cygne ; — 500 exemplaires sur papier des fabriques du Périgord. » Enfin, à la fin du livre, précédant le cahier d'eaux-fortes de Forain et de Raffaëlli, cette mention : « Typis mandetur. J.-K. Huysmans. 1 cal. Oct. MDCCCLXXXV. » Le 24 mai 1886, Mallarmé écrivait à Huysmans, au sujet de cette réédition : « Je vous affirme que cela n'a pas ranci ni pâli. » (Mallarmé, *Correspondance*, t. III, Gallimard, 1969.)

REACTIONS ET INFLUENCES

105

A REBOURS. — Paris, G. Charpentier, 1884. In-8°. — B.N., Ars., Rés. 8° △ 38765.

Edition originale du livre qui marque, sinon une rupture complète de Huysmans avec le naturalisme, du moins un tournant capital chez l'écrivain. Présenté sous la couverture jaune, alors banale chez les éditeurs français, ce livre devint vite chez les esthètes et même à l'étranger le type du roman français « décadent » : il sera évoqué ainsi par Oscar Wilde, comme par les écrivains et artistes anglais réunis sous le signe du « Yellow book ».

106

JULES BARBEY D'AUREVILLY. Article sur *A rebours*, publié dans *Le Constitutionnel*, 29 juillet 1884. Photocopie. — B.N., Ars., Fol. Jo 500.

On y lit la phrase fameuse qui frappa Huysmans lui-même, puisqu'il la reprit dans sa préface d'*A rebours* pour l'édition de 1903 : « Après un tel livre, il ne reste plus à l'auteur qu'à choisir entre la bouche d'un pistolet ou les pieds de la croix. » En 1903, après sa conversion, il pouvait ajouter à cette citation : « C'est fait. »

107

LETTRE DE PAUL BOURGET A J.-K. HUYSMANS, 20 mai 1884. — B.N., Ars., Ms. Lambert 28 (8).

Paul Bourget avait publié en 1883 un compte rendu enthousiaste de *L'Art moderne*. Sa réaction devant *A rebours* n'est pas moins admirative : « Le livre est [...] la plus complète monographie et la mieux établie que je sache, d'une névrose dans une tête intellectuelle. » En revanche, Huysmans ne goûtera nullement les romans de Bourget, qu'il qualifiera d'« insipides mucilages ».

N° 110

108

JEAN LORRAIN. Les Griseries. — Paris, Tresse et Stock, 1887. In-12. — B.N., Ars., Po. 18562.

En 1885, Jean Lorrain envoya à Huysmans son dernier recueil de vers intitulé *Modernités*, avec cette dédicace : « Desesseintique hommage, son très fervent, J. L. » Le nouveau recueil contient deux pièces portant comme titre, l'une « Evangile selon Joris-Karl Huysmans », l'autre « Intérieur (selon le duc Jean des Esseintes) ». (Cf. J. Lethève, *L'Amitié de Huysmans et de Jean Lorrain*, dans *Mercure de France*, sept. 1957.)

109

Henry Bataille. Jean Lorrain, 1901. Lithographie pour *Têtes et pensées*, chez Ollendorff. — B.N., Est., Ef 469, Rés.

110

Odilon Redon. Des Esseintes, 1888. Lithographie. — B.N., Est., Dc 354, t. III.

On peut discuter l'interprétation que donne Redon du héros d'*A rebours*. Du moins marque-t-elle une étape de l'amitié qui lia très vite Huysmans et Redon, à partir du moment où l'écrivain découvrit les lithographies de l'artiste, en 1882, et les plaça parmi les œuvres aimées par Des Esseintes.

Huysmans remercia Redon de sa lithographie par une lettre du 22 avril 1888 : « Merci du Des Esseintes qui est âpre et curieux, bien vanné comme de juste. Il me fait l'effet d'un Des Esseintes plus satanique et hoffmannesque [...] » (Cf. J. Jacquinot, dans *Bull. Soc. J.-K. H.*, 1957, n° 33.)

111

J.-K. Huysmans et Paul Valéry.

a) Lettre de Paul Valéry à Huysmans [1891]. — Bibl. litt. J. Doucet, VRY 1816 (1).

Brouillon de la première lettre que le jeune Valéry adressa à Huysmans : « J'ai vécu deux ans avec Des Esseintes en province, avec Usher aussi... Me voici à Paris depuis quelques heures... C'est pourquoi je me fis le commandement de vous voir... C'est donc une heure et un jour que j'ose vous demander. »

b) Paul Valéry. Relation de sa première visite à J.-K. Huysmans. Manuscrit autographe. 1 feuillet. — Bibl. litt. J. Doucet, VRY Ms. 1817 (1).

Le 25 septembre 1891, Paul Valéry rendit visite à Huysmans dans son bureau du Ministère de l'Intérieur. En quelques notes rapides, il consigna ses impressions sur l'écrivain et indiqua les principaux sujets de leur conversation.

Valéry garda toujours une grande admiration et beaucoup d'amitié à l'auteur d'*A rebours*, auquel il consacra plusieurs essais.

112

Oscar Wilde. Le Portrait de Dorian Gray,... — Paris, Savine, 1895. In-16. — B.N., Impr., 8° Y². 49375.

Publié en Angleterre six ans après *A rebours* et en traduction française cinq ans plus tard, le roman de Wilde se présente comme une histoire fantastique, ce que n'est pas le livre de Huysmans. Les héros des deux romans, par leur esthétisme raffiné, ont pourtant de nombreux points communs. Wilde prête à son personnage une influence malsaine exercée par certain « livre jaune » français où, dès la publication, les initiés ont reconnu le roman de Huysmans : il est certain que cet ouvrage a eu un grand retentissement dans les milieux d'avant-garde de Grande-Bretagne.

IV

LE CRITIQUE D'ART

Parallèlement à la création romanesque, Huysmans exerce une activité de critique d'art. C'est même par là qu'il débuta en donnant, à 19 ans, un article à la *Revue mensuelle* du 25 novembre 1867, sur les paysagistes contemporains. Mais c'est en 1876 que commence sa carrière de « salonier » comme on disait alors, lorsqu'il publie divers comptes rendus d'expositions dans *La République des lettres*, dirigée par Catulle Mendès. Ce sont pourtant ses critiques du Salon de 1879, dans *Le Voltaire*, qui affirment l'originalité de ses jugements. Jusqu'alors, on le voyait un peu hésitant devant les deux tendances de la peinture contemporaine : l'art académique et celui des « indépendants », des artistes que l'on commence à désigner de l'épithète d'impressionnistes. Pour l'opinion, et même pour beaucoup de critiques patentés, ce sont encore des fumistes ou des fous.

Quelquefois dérouté lui-même par certaines audaces techniques de ces peintres nouveaux, Huysmans n'en commence pas moins à mettre au pinacle Manet et Degas et à tirer à boulets rouges sur l'art conventionnel des Gervex, des Bouguereau et de leurs émules. Il ne conserve d'indulgence que pour des artistes, à nos yeux assez médiocres, mais ayant le mérite de peindre le monde moderne d'une façon réaliste ou même « naturaliste » : l'exemple typique est celui de Raffaëlli.

Le rôle que joua Huysmans en tant que critique d'art apparaît au total considérable : Roger Marx le qualifia de « personnalité unique : le critique de l'art moderne » et Félix Fénéon voyait en lui « l'inventeur de l'impressionnisme ». Ces jugements mériteraient quelques nuances, mais il est sûr que le prestige de son style, la justesse parfois brutale de ses formules, plus peut-être que ses choix, le placent en tête des grands écrivains d'art. Aujourd'hui encore, la lecture des deux volumes où il rassembla ses meilleurs articles de critique, *L'Art moderne* (1883) et *Certains* (1889) permet de s'en rendre compte.

41

Le second de ces recueils surtout, montre d'ailleurs que le goût de Huysmans a progressivement évolué et qu'il s'intéressa bientôt à des artistes dont les qualités techniques ne sont pas toujours indiscutables, mais qui valent surtout par l'étrangeté de leur inspiration et le raffinement des thèmes choisis. C'est dans cette perspective qu'il a mis en valeur Gustave Moreau, révélé Félicien Rops et Odilon Redon, attiré de nouveau l'attention sur les gravures de Jan Luyken ou de Goya. Le « musée imaginaire » qu'il place autour de son héros Des Esseintes devient en fait son propre univers artistique. Il suit de plus loin l'évolution des impressionnistes qui, par bien des aspects, sont encore des réalistes. A partir de 1887-1889, il se tourne vers les raffinés de toutes époques et ceux-là, il les rencontre plus dans les musées que dans les Salons annuels, dont il n'assume d'ailleurs plus la critique. Ceux qu'il découvre et exalte désormais, ce sont Botticelli, Grünewald, ou l'auteur inconnu de la « Belle démone » du Musée de Francfort.

Il ne faut pas oublier le rôle capital joué dans sa conversion par son amour de l'art, le choc du surnaturel qu'il a trouvé dans la vision de certains artistes et l'apaisement que lui apporte l'atmosphère des cloîtres et des grandes cathédrales.

J.L.

113

JEAN-LOUIS FORAIN. L'Amant d'Amanda. Dessin paru dans *La Cravache*, 19 novembre 1876. — B.N., Est., Dc 377.

Ce dessin avait particulièrement frappé Huysmans dans les premiers temps de ses relations avec Forain, au point qu'il l'évoqua dans le chapitre qu'il devait consacrer à l'artiste dans *Certains*, en un temps où, comme il l'écrit, « M. Forain est maintenant connu. »

« ...Un autre dessin inséré en 1876 dans *La Cravache* était merveilleux encore. Il était intitulé « L'Amant d'Amanda » et formait une parodie du groupe « Gloria victis » de M. Mercié, avec un gommeux rigide, mi-mort, la tête en arrière, soulevé par une exquise femme qui tenait tout à la fois de la poupée et de la maraudeuse. »

114

JEAN-LOUIS FORAIN. Les Coulisses de l'Opéra, 1885. Huile sur toile, 57 × 48 cm. — A M. Alfred Marchal.

Quelques années plus tôt, Huysmans admirait déjà des personnages du même genre peints par Forain : « D'affolantes et célestes arsouilles causant avec de gros messieurs paternels et obscènes, les Crevel de notre époque, et de jeunes pantins gourmés dans leurs cols droits et leurs habits noirs. »

115

JEAN-LOUIS FORAIN. La Danseuse et l'Abonné, 1890. Aquarelle, 55 × 43 cm. — A Mme Chagnaud-Forain.

Huysmans a loué chez Forain non seulement les thèmes choisis, en particulier les coulisses où se nouent les rapports équivoques des danseuses et de leurs admirateurs, mais aussi sa technique de l'aquarelle : « D'extraordinaires aquarelles rehaussées de gouache [...] des ragoûts de couleur studieusement épicés... » (*Certains*.)

116

JEAN-FRANÇOIS RAFFAELLI. Paysage de banlieue avec moulin. Crayon et gouache. 68 × 52 cm. — Sceaux, Musée de l'Ile-de-France.

« Peintre des paysages suburbains dont il a, seul, rendu les plaintives déshérences et les dolentes joies », Raffaëlli fut un des préférés de Huysmans parmi les peintres contemporains, sans doute parce qu'il traitait dans un style proche de l'impressionnisme, des sujets « modernes » d'inspiration naturaliste. Huysmans le découvrit au Salon de 1879 et en fit l'éloge dans le compte rendu de cette exposition. Il le retrouva aux expositions des « indépendants » — c'est-à-dire des impressionnistes — de 1880 et 1881 et n'hésita pas à écrire : « M. Raffaëlli est un des rares qui restera. » Huysmans posséda plusieurs tableaux ou dessins de Raffaëlli.

117

JEAN-FRANÇOIS RAFFAELLI. Portrait de Huysmans, vers 1890. Pastel et gouache sur carton. — A M. Emmanuel Fabius.

J.-F. Raffaëlli exécuta plusieurs portraits de son ami, qui avait soutenu son talent auprès du public. Une reproduction en héliogravure a été donnée par la revue *L'Artiste* dans son numéro d'octobre 1893, pour illustrer l'article que Roger Marx consacra à Huysmans à l'occasion de sa nomination dans la Légion d'honneur.

118

EDGAR DEGAS. Danseuses montant un escalier, vers 1866. Huile sur toile, 39 × 89 cm. — Musée du Louvre, Galerie du Jeu de Paume.

Dès 1876, Huysmans avait découvert Degas qui resta désormais un des peintres contemporains les plus admirés par lui : « Je ne me rappelle pas avoir éprouvé une commotion pareille à celle que je ressentis en 1876, la première fois que je fus mis en face des œuvres de ce maître. » Ce rappel, présenté dans son compte rendu de l'exposition impressionniste de 1880 (repris dans *L'Art moderne*) est ainsi complété : « La joie que j'éprouvais tout gamin s'est depuis accrue à chaque exposition où figurèrent les Degas. »
Si Huysmans a particulièrement loué les femmes à leur toilette représentées par le peintre de façon réaliste et non selon les conventions d'atelier, il n'a cessé d'admirer ses danseuses dans la variété de leurs poses et le côté factice de leur costume et de leur maquillage.

119

CAMILLE PISSARRO. Paysage, Pontoise. 51 × 81 cm. — Musée du Louvre, Galerie du Jeu de Paume.

Pissarro est l'un des peintres impressionnistes dont Huysmans cite le plus grand nombre d'œuvres dans ses articles de critique. Ses louanges n'ont d'ailleurs pas été sans nuances, tant il était parfois déconcerté — mais beaucoup moins que la majorité de ses contemporains — par une technique alors toute nouvelle : « Lui aussi a bariolé, sous prétexte d'impressions, d'obscures toiles. » (*L'Exposition des indépendants en 1880.*) Mais il le tient pour « un merveilleux coloriste » et admire particulièrement ses « paysages de Seine-et-Oise », et l'on sait que Pissarro a souvent représenté Pontoise où il s'établit après la guerre de 1870.

Bastien-Lepage	(Beaucoup)	Innocenti	beaucoup
Baudry +	(peu)	Lansyer	moyenne
Béraud	(moyenne)	Laurens *	beaucoup
Bergeret	(il)	Lecomte du Nouÿ	il
Bonnat	beaucoup	Lefebvre (jules)	il
Bouguereau	beaucoup	Lobrichon	il
Cabanel	beaucoup	Melingue	moyenne
Castellani .	beaucoup	Meissonnier	il
Compte-Calix	beaucoup	O. Merson	il
Cot +	beaucoup	~~adrien Marie~~	beaucoup
Dagnan-Bouveret	(moyenne)	Elisa Koch	il
Daubigny	il	Neuville	il
Delanoy	il	Picou	il
Desgoffe (Blaise)	beaucoup	Protais	il
Detaille	il	Reverchon	il
gustave Doré	(moyenne)	Saintin	il
Dubufe	beaucoup	Boulanouche	il
Gervex	moyenne	Lignol	il
firmin Girard	beaucoup	Van Beers	il
Goeneutt	moyenne	Worms	il
Goupil (jules)	il	Vibert	il
~~hennet~~	- beaucoup	Gigoult	il
Gérôme	il	Bétanier	il
		Le Houx	il

120

Lettre de Huysmans a Camille Pissarro. 4 p. (mai 1883). — B.N., Ars., Ms. 15097/13.

Cette lettre, dont seules quelques lignes ont été citées par John Rewald (*Cézanne et Zola*, 1936, p. 112), répond aux critiques formulées par Pissarro après la publication de *L'Art moderne*. Elle a l'intérêt de nous montrer les limites de l'admiration portée par Huysmans aux peintres impressionnistes. Ainsi répond-il à Pissarro qu'il estime avoir mis Monet à sa juste place en le considérant comme le meilleur peintre de marines et Pissarro lui-même en le tenant pour « admirable » sa « Sente du chou ». Quant à Cézanne, personnalité « profondément sympathique », il reste très réticent à son égard : « Oui, c'est un tempérament, un artiste, mais en somme, si j'excepte quelques natures mortes qui tiennent, le reste à mon avis n'est point né viable. » Il reviendra pourtant en partie sur ce jugement en consacrant à Cézanne, dans *La Cravache* du 4 août 1888, une très belle page — reprise dans *Certains* — une des très rares de la critique contemporaine vraiment admirative.

121

Alfred Sisley. La Route de Louveciennes sous la neige, vers 1877. Huile sur toile, 46 × 55 cm. — Musée du Louvre, Galerie du Jeu de Paume.

« M. Sisley. — Un des premiers avec M. Pissarro et avec M. Monet (...) qui soit allé à la nature, qui ait osé la consulter, qui ait tenté de rendre fidèlement les sensations qu'il ait éprouvé devant elle. » (Appendice de *L'Art moderne*.)

Dans l'article intitulé *Des prix* (repris dans *Certains*), Huysmans, énumérant les quelques rares œuvres de la peinture contemporaine qu'il aimerait voir réunies dans un musée public, place « quelques Sisley triés dans son œuvre ».

122

Artistes éreintés. Liste soumise à Charpentier. Manuscrit autographe. — B.N., Ars., Ms. Lambert 26 (18).

Cette curieuse liste, de la main de Huysmans, montre que celui-ci eut quelques difficultés avec l'éditeur Charpentier, au moment de publier *L'Art moderne*. Ce recueil reprend en effet des articles antérieurement parus dans des journaux où les artistes académiques étaient le plus souvent malmenés. Charpentier dut craindre les réactions des lecteurs et peut-être celles des artistes. Toujours est-il que Huysmans dut lui soumettre cette liste concernant ses critiques du Salon de 1879, afin de supprimer éventuellement les jugements formulés sur certains peintres. La note ajoute : « Les soulignés en noir sont à enlever complètement. » Parmi ces derniers, on trouve Baudry, Laurens, Henner, Toulmouche. Une confrontation du texte publié dans *Le Voltaire* et de celui de *L'Art moderne* montre pourtant que tous les noms mentionnés n'ont pas finalement disparu.

123

Elie Delaunay. *Diane*, 1872. Huile sur toile. — Palais de Tokyo.

Elie Delaunay (1828-1891) était l'un des peintres académiques dont Huysmans disait — en les opposant aux « indépendants » — qu'ils appliquaient « les vieilles routines conservées si précieusement [...] dans des pots de saumure ».

Le thème mythologique n'est ici, comme souvent, que le prétexte à la représentation d'un nu féminin, mais un nu peint en atelier et selon des procédés très artificiels que Huysmans attaque dès son compte rendu du Salon de 1879.

124

William Bouguereau. *L'Océanide*. Huile sur toile. 96 × 205 cm. — La Rochelle, Musée Orbigny.

Bouguereau (1825-1905), très admiré à son époque parmi les peintres traditionnels, est certainement celui que Huysmans a le plus sévèrement attaqué. Dans son *Salon de 1879*, passant en revue les peintres de sujets mythologiques, il le traite ainsi : « De concert avec M. Cabanel, il a inventé la peinture gazeuze, la pièce soufflée. Ce n'est même plus de la porcelaine, c'est du léché flasque ; c'est je ne sais quoi, quelque chose comme de la chair molle de poulpe. »

125

Gustave Moreau. Esquisse pour « Hélène », 1880. Huile sur toile, 63 × 55 cm. — Musée Gustave Moreau, n° 135.

M. J.-L. Mathieu (*Gustave Moreau*, Bibl. des arts, 1976) considère cette ébauche comme la plus proche du tableau exposé au Salon de 1880 et dont Huysmans fit l'éloge dans son compte rendu, repris dans *L'Art moderne*. Il concluait ainsi sa description des toiles exposées : « Que l'on aime ou que l'on n'aime pas ces féeries écloses dans le cerveau d'un mangeur d'opium, il faut bien avouer que M. Moreau est un grand artiste et qu'il domine aujourd'hui, de toute la tête, la banale cohue des peintres d'histoire. »

126

Le vrai portrait du Juif-errant, 1860. Bois colorié, à Epinal, chez Pellerin. — B.N., Est., Li. 59 (1860).

Huysmans a loué, à plusieurs reprises, les images d'Epinal, en particulier dans *En rade*.
Une planche coloriée du Juif-errant, thème populaire dans l'imagerie du XIXe siècle, lui a donné l'occasion d'un article publié dans *L'Artiste* de Bruxelles, en juillet 1877, et repris dans les *Croquis parisiens*.

127

J.-K. Huysmans. Le Salon de 1887. Manuscrit autographe. — B.N., Ars., Ms. 15089.

128

Jules Chéret. Folies-Bergère, les Hanlon-Lees, 1878. Affiche, impr. J. Chéret. — B.N., Est., Dc. 329, t. II.

Dès le Salon de 1879, Huysmans loue les « chromos » de Chéret qu'il oppose aux « déesses en carton et toutes les bondieuseries du temps passé ». Il devait, dans *Certains*, consacrer un chapitre à cet artiste qui sut, en effet, renouveler l'art de l'affiche et apporter sur les murs une note de joie.
Cette affiche pour la pantomime des Hanlon-Lees, lui semble d'« une incompressible gaîté ». Le personnage « devenait presque satanique dans ce dessin qui bondissait... ».
Rappelons que Chéret fut l'illustrateur choisi pour la couverture de *Pierrot sceptique*.

129

FÉLIX BRACQUEMOND. David, d'après Gustave Moreau, 1884. Eau-forte, chez G. Petit. — B.N., Est., Ef 411 a, Gr. fol.

Dans le chapitre « Des prix » de *Certains*, où Huysmans énumère les œuvres d'art qu'il voudrait voir figurer dans un musée digne de ce nom de l'art contemporain, il cite « la superbe interprétation du David de Moreau par Bracquemond ».

130

JAN LUYKEN. Planche sur la Saint-Barthélemy. — B.N., Est., Ec 46.

Huysmans est revenu, à plusieurs reprises, sur ce graveur hollandais du XVIIᵉ siècle, spécialiste des scènes de supplices et de massacres, et dont lui-même possédait de nombreuses gravures, provenant en partie d'un oncle de Hollande.

Dans *Certains*, sous le titre « Une autre planche du vieux Luyken », il décrit une eau-forte très proche de celle-ci mais sans doute plus vaste. On retrouve pourtant la même impression de « faux Paris hollandais » avec des « maisons dont les toits déchiquettent l'air avec leur créneaux d'engrenage, leurs marches d'estrades, leurs dents de scie ».

131

FÉLICIEN ROPS. Satan semant l'ivraie, planche pour *Les Sataniques*. Vernis mou. — B.N., Est., Cc 82 b, Rés., t. V.

Huysmans a largement contribué à faire connaître ce graveur belge, dont le succès reposa plus sur les intentions macabres ou érotiques de ses planches que sur un réel talent. Il possédait d'ailleurs quelques œuvres de cet artiste dont il fit la connaissance lors de son voyage aux Pays-Bas en 1876.

Les pages les plus fortes écrites par Huysmans sur Rops forment un chapitre de *Certains* consacré aux œuvres libres. Il admire spécialement la série des *Sataniques* et décrit longuement la planche présentée : « En scrutant l'horrible face, l'on peut discerner la jubilation froide et décidée du Diable qui sait de quelles vertus infâmes sont douées les larves qu'il essaime. » Ces « germes du mal » lancés « sur la ville muette » sont « des larves de femmes », symbolisant la misogynie du graveur, et de l'écrivain.

132

THOMAS ROWLANDSON. Sommerset exhibition staircase. Eau-forte coloriée. — B.N., Est., Aa 175 g, Rés. (Collection Smith-Lesouef.)

A propos de dessinateurs anglais exposant au Salon officiel de 1881, Huysmans évoque la truculence des gravures de Rowlandson et en particulier « une série de planches gaillardes qui sont de purs chefs-d'œuvre d'invention obscène ». Il en reparlera longuement dans *Certains*, à propos des gravures libres, celles de Rops en particulier. Ici l'exhibition n'est pas celle que le nom de Sommerset House, siège londonien d'expositions de peintures, évoque d'abord. Dans l'escalier du Palais, une chute générale des visiteurs révèle de façon inattendue les jambes des femmes aux spectateurs masculins fort intéressés.

133

JAMES WHISTLER. The Little Venice, 1880. Eau-forte. — B.N., Est., Ec 123, Rés.

Huysmans a consacré un chapitre de *Certains* à celui qu'il orthographie toujours « Wisthler » et dont il loue surtout les peintures. Mais il évoque également « ses précieuses eaux-fortes où, en quelques traits, il éparpille des monuments, des cités, illimite l'espace, projette des sensations de lointains, uniques ».

Les évocations offertes par les œuvres de l'artiste américain se rapprochent, selon lui, du domaine subtil des poésies de Verlaine.

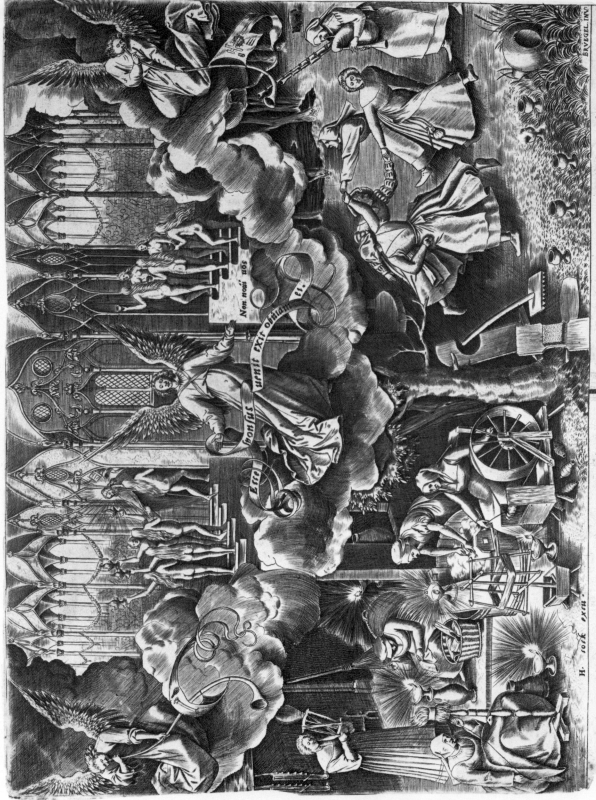

134

JACQUES CALLOT. La Tentation de saint Antoine, 1635. Eau-forte. — B.N., Est., Ed 130, Rés.

Dans l'œuvre plutôt réaliste du graveur Callot, cette planche apporte une note de fantastique, dont on comprend qu'elle ait plu à Huysmans : il en possédait une épreuve qu'il emmena à Ligugé.

135

PIETER BRUEGHEL. Les Vierges folles et les vierges sages, vers 1550. Gravure, à Anvers, chez Cock. — B.N., Est., Cc 92 (16ᵉ s. - Cock).

Cette curieuse et rare gravure, dont Huysmans possédait une épreuve, a été également placée par lui dans l'habitation de Durtal, au chapitre VI de *Là-bas* : « Durtal aimait cette vieille gravure qui avait une senteur de douce intimité dans les scènes du bas et, dans celles du haut, la benoîte naïveté des Primitifs. »

136

MATHIAS GRUNEWALD. Crucifixion. Reproduction du tableau conservé à la Staatliche Kunsthalle de Karlsruhe. — B.N., Est., Ca 2 Fol. (pl. 30).

Cette peinture, dont il avait une reproduction dans sa chambre et qu'il put encore contempler de son lit de mort, joua un grand rôle dans la vie de Huysmans. Il l'avait en effet découverte, lors de son voyage en Allemagne avec Arij Prins en 1888, au musée de Cassel où elle se trouvait alors. Il a évoqué dans le premier chapitre de *Là-bas* le « cri d'admiration qu'il avait poussé en entrant dans la petite salle du musée... ». Ce tableau lui parut représenter une forme de ce « naturalisme surnaturel » auquel il veut se consacrer désormais. S'il sert en quelque sorte d'introduction au satanisme de *Là-bas*, il ne restera pas moins significatif pour le converti qui croit si profondément à la rédemption par la douleur. L'esthète, en lui, devait aussi s'attacher à Grünewald : il le mit en valeur dans *Trois primitifs*, en 1905, contribuant ainsi à révéler au public un peintre oublié et les chefs-d'œuvre que conserve de celui-ci le musée de Colmar.

137

TÊTE DE JEUNE FILLE, du Musée de Francfort. Photographie. — B.N., Ars., Fonds Lambert.

Cette photographie avait été donnée par Huysmans à l'abbé Mugnier, à qui elle est dédicacée, en souvenir du voyage qu'ils firent ensemble en Allemagne en 1903. Elle appartint ensuite à Lucien Descaves.

Le personnage du tableau a été longuement décrit dans *Trois primitifs* : « Avec sa mine pas bonne, son air défiant, son corps gracile et ses seins brefs, elle est charmante et elle est malsaine ; elle dégage l'odeur vireuse des plantes à fleurs vertes, des plantes à craindre... » Huysmans, qui l'appelle « la Démone », suppose qu'elle pourrait être Giulia Farnese, maîtresse du futur pape Paul III. Ce tableau, attribué aujourd'hui à Bartolomeo Veneto, est présenté au Städel Institut de Francfort-sur-le-Main sous le titre « Courtisane ».

138

CHARLES-MARIE DULAC. L'Eau et le Feu. Huile sur toile. — Palais de Tokyo.

Ch.-M. Dulac (1865-1898) fut découvert par Huysmans au moment où il écrivait *La Cathédrale* et il fit dans ce livre l'éloge des lithographies du jeune artiste. Il voyait en lui les promesses d'un art religieux contemporain conforme à ses aspirations. Dulac accepta l'idée de créer à Ligugé, près de Huysmans, une communauté d'artistes, mais il mourut prématurément, à la fin de 1898. Son œuvre fut présentée en avril 1899, dans une exposition pour laquelle Huysmans écrivit une préface, reprise ensuite dans *De tout*.

139

PIERRE ROCHE. La Fée Morgane, 1904. Bronze, h. 90 cm. — Palais de Tokyo.

Fernand Massignon, dit Pierre Roche (1855-1922), était un jeune artiste dont Huysmans fit la connaissance lorsqu'il suivit avec inquiétude l'évolution de la santé de Charles-Marie Dulac, lequel mourut en décembre 1898. Graveur et sculpteur original, Pierre Roche inventa divers procédés de gravure. On lui doit plusieurs effigies de Huysmans (voir n° 356).

V

LE SATANISME
HUYSMANS ET SATAN

Sept ans (chiffre fatidique entre tous !) après *A rebours* paraissait *Là-bas* (1891), qui constitue le second volet de la charnière entre l'avant et l'après conversion. Si beaucoup furent tentés de ne voir dans ce livre considérable qu'une manifestation supplémentaire des innombrables curiosités de Huysmans, la plupart des lecteurs reçurent l'œuvre nouvelle comme un véritable choc. La nouveauté de la facture étonnait, certes, mais surtout on avait conscience que l'auteur n'avait pas recherché un succès de scandale. Pratiques occultes, soufre et messes noires n'étaient pas pour lui ingrédients obligés d'un roman à gros tirage — ce qu'il fut de fait — mais il considérait Satan comme quelqu'un avec qui il fallait compter, qu'on s'en fît un allié ou un adversaire. Satan était l'envers de Dieu et Dieu commençait à le préoccuper. Une documentation livresque ne lui paraissait pas suffisante : aussi prit-il ses informations auprès d'un personnage inquiétant, un prêtre défroqué retiré à Lyon et qui se disait héritier de l'hérétique Vintras, l'abbé Boullan.

Huysmans reçut de Boullan un très grand nombre de documents concernant le satanisme. Pierre Lambert put les recueillir chez les descendants de Julie Thibault qui, après avoir servi chez Boullan, fut engagée par Huysmans qui l'immortalisa sous les traits de Mme Bavoil. « Mme Bavoil » célébrait chaque jour le « sacrifice provictimal de Marie » sur l'autel (qu'elle appelait « la petite autel ») présenté ici.

Si la parution de *Là-bas* entraîna la brouille de J.-K. Huysmans avec Léon Bloy, elle suscita également de nombreux commentaires, de nombreuses marques d'admiration — ou d'inquiétude — dont les lettres reçues par Huysmans apportent le témoignage.

Nous avons — parmi d'autres pièces — retenu les lettres d'Henriette Maillat, un des modèles de Hyacinthe Chantelouve.

P.C.

2ᵉ volume.   N° 263. — 10 c.   Un an : 6 fr.

62681

LES HOMMES D'AUJOURD'HUI

DESSIN DE COLL-TOC

—⊙⊙⊙—

Bureaux : Librairie Vanier, 19, quai Saint-Michel, à Paris

J. K. HUYSMANS

LES DIMANCHES DE LA RUE DE SEVRES

140

COLL-TOC (Emile Cohl). Caricature de Huysmans, 1885, sur la couverture du n° 263 des *Hommes d'aujourd'hui*. — B.N., Arts du spectacle, Rf. 62681.

Le dessin de Coll-Toc (Emile Cohl) se trouve sur le fascicule où Huysmans a présenté, sous le nom de sa maîtresse A. Meunier, sa propre biographie.

141

ANNA MEUNIER, vers 1885. Photographie. Cliché Graffe. — A M. H. Lefai.

Inspiratrice et modèle de Jeanne dans *En ménage* et de Louise dans *En rade*, Anna Meunier fut sans doute la seule présence féminine dans la vie du misogyne Huysmans.

Plusieurs fois elle accompagna, avec sa fille Antonine, le romancier en vacances au château de Lourps. Gustave Guiches dans *Le Banquet* la décrit présidant aux dîners du dimanche soir du 11, rue de Sèvres : « Grande et jolie sous un blond massif de cheveux. Mais ses yeux sont d'un bleu si pâle, ses lèvres si décolorées, son teint si mat, que dans cette blancheur languissante et cette dorure éteinte, son visage a la grâce défaillante d'un lys blessé à mort. » Très malade, internée à Sainte-Anne, elle y mourut en 1895, sans que Huysmans ait jamais cessé de lui rendre d'éprouvantes visites.

142

LETTRE DE LOUISE READ AU Dr SELIGMANN, 18 novembre 1887. — B.N., Ars., Ms. Lambert 35.

Louise Read, l'amie de Barbey d'Aurevilly, sollicite le Dr Seligmann, médecin de celui-ci, afin qu'il examine Anna Meunier : « Huysmans est au désespoir en ce moment. Une personne à laquelle il s'intéresse... est très malade. Elle est ma voisine et est, suppose Huysmans, assez tristement soignée par je ne sais quel médecin. » Louise Read expose longuement au médecin la cruelle situation dans laquelle se débat Huysmans. Anna Meunier, ainsi que la Louise d'*En rade*, devait mourir en 1895 d'une paralysie généralisée.

143

LETTRE DE J.-K. HUYSMANS A GEORGES LANDRY, 14 février 1895. — B.N., Ars., Ms. Lambert 25.

« La pauvre Anna est morte ».

144

CARNET D'ADRESSES de J.-K. Huysmans. — B.N., Ars., Ms. Lambert 26 (19).

145

HENRI GIRARD. Photographie. — B.N., Ars., Fonds P. Lambert.

Un de ces amis obscurs dont Huysmans aimait à s'entourer. Comédien sans grand succès, Henri Girard rencontra Huysmans vers 1885 et devint un des habitués des dimanches de la rue de Sèvres. Leur amitié dura jusqu'à la mort de l'écrivain qui légua au vieil acteur son portrait au pastel par Forain.

146

LUCIEN DESCAVES EN UNIFORME. Photographie du Gymnase-E. Voisin. — B.N., Ars., Ms. Lambert 64.

Lucien Descaves, qui devait être jusqu'à la fin un ami fidèle de Huysmans, et son exécuteur testamentaire, gardien jaloux de sa mémoire, l'avait rencontré en 1882. Il devint dès lors un des familiers de la rue de Sèvres. Même quand en 1884 il fit son service militaire au Havre, le futur auteur de *Sous-offs* parvenait à s'échapper le dimanche pour rendre visite à Huysmans.

147

BILLET DE J.-K. HUYSMANS AU Dr MAURICE DE FLEURY, 14 décembre 1887. — B.N., Ars., Ms. Lambert 28.

Maurice de Fleury, médecin psychiatre, chroniqueur médical au *Figaro* sous le nom d'Horace Bianchon, membre de l'Académie de médecine en 1909, rencontra vers 1886 Huysmans, Bloy, Villiers de l'Isle-Adam et leurs comparses, et devint un habitué de la rue de Sèvres. Ce billet, qui peut paraître énigmatique, donne le ton de leurs relations : dans ses souvenirs, publiés dans *Les Nouvelles Littéraires*, à partir du 11 juillet 1931, on en a la clef : « Il semble bien qu'à la demande de Léon Bloy, Maurice de Fleury lui ait fait alors subir une opération généralement réservée aux tous petits garçons et que l'Eglise solennise le premier jour de l'année » (12 septembre 1931).

Apparemment le chirurgien aurait gardé une curieuse relique du « mendiant ingrat ».

148

J.-K. HUYSMANS ET GEORGES LANDRY. Photographie. — B.N., Ars., Fonds P. Lambert.

Bloy avait connu Georges Landry dans sa jeunesse et le présenta à Barbey d'Aurevilly vers 1870. Landry devint le dévoué ami de Barbey et s'installa rue Rousselet, à côté du « Tourne-bride » du vieux connétable. Après la mort de celui-ci, il se consacra à Bloy et à Huysmans, puis, quand ceux-ci furent brouillés, au seul Huysmans.

149

LETTRE DE LÉON BLOY A GUSTAVE GUICHES, 23 décembre 1888. — B.N., Ars., Ms. Lambert 28 (5).

Dans son livre de souvenirs, intitulé *Le Banquet* (Paris, 1926), Gustave Guiches a pittoresquement raconté comment il fit la connaissance de Huysmans, et fut introduit dans le groupe des amis qui se réunissaient rue de Sèvres, et où brillaient alors Léon Bloy et Villiers de l'Isle-Adam.

Pour ce Noël 1888 cependant, c'est chez Maurice de Fleury que le dîner devait avoir lieu, et la dinde viendrait de Genève, envoyée par Louis Montchal, ami de Léon Bloy.

150

JULES BARBEY D'AUREVILLY. Une page d'histoire. — Paris, Lemerre, 1886. In-12. — Au colonel Sickles.

Exemplaire dédicacé à J.-K. Huysmans.

Barbey avait rencontré Huysmans par l'intermédiaire de son disciple Léon Bloy. Huysmans fut un de ceux qui entourèrent le « Connétable » dans ses dernières années.

151

Léon Bloy. Photographie Person. Février 1887. — B.N., Ars., Fonds P. Lambert.

152

Léon Bloy. Le Révélateur du globe... Préface de J. Barbey d'Aurevilly. — Paris, Sauton, 1884. In-8°. — B.N., Ars., Rés. 8° Z 15484.

Bloy fut mis en relations avec Huysmans par François Coppée, vers 1884. Leur entente fut immédiate et Bloy envoya à Huysmans cet exemplaire du *Révélateur du globe*, avec la dédicace : « A mon ami Huysmans, offert à un Triste par un Désespéré. »

On y a joint une lettre de Bloy remerciant Huysmans de sa lettre, probablement celle par laquelle Huysmans exprime son admiration pour le livre et lui annonçant son article sur *A rebours* qui fut publié dans le *Chat noir*. (Cf. Bollery, *Bloy*, t. II, pp. 93-94.)

153

Léon Bloy. Les Représailles du sphinx. Dans *Le Chat noir*, 14 juin 1884. — B.N., Ars., Fol. Jo 647.

Article extrêmement élogieux de Bloy sur *A rebours*, montrant Huysmans « naturaliste naguère et maintenant spiritualiste jusqu'au mysticisme le plus exalté ».

154

Lettre de J.-K. Huysmans a Edmond de Goncourt [20 mars 1885]. — B.N., Mss., n. a. fr. 22466, fol. 94.

« J'apprend, ce matin, par un bonhomme que je rencontre en allant à mon bureau, que vous auriez reçu la visite de Léon Bloy qui se serait présenté en mon nom chez vous pour obtenir je ne sais quoi. Je n'ai jamais autorisé Léon Bloy à se présenter en mon nom, chez vous ».

Les démarches indiscrètes du « mendiant ingrat » mettaient, comme on le voit, la patience de ses amis à rude épreuve.

(Cf. Bollery, *Bloy*, t. II, pp. 145-146.)

155

Lettre de Léon Bloy a J.-K. Huysmans, 23 février 1891. — Au colonel Sickles.

Alors au Danemark, Bloy, après avoir lu les 20 premières pages de *Là-bas*, exprime son admiration à Huysmans dans des termes dithyrambiques : « Après *A rebours* et *En rade*, vous étiez au fond de l'impasse. Il fallait crever dans le cul-de-sac ou chercher une autre voie... Voilà votre superbe talent renouvelé d'une manière indéfectible car vous êtes au seuil de l'extase et de la magnificence ».

Malheureusement pour les relations des deux amis, cet enthousiasme devait être de courte durée.

156

Lettre de Léon Bloy a Léon Deschamps, directeur de *La Plume*, 14 mai 1891. — Au colonel Sickles.

Ayant avancé dans sa lecture de *Là-bas*, Léon Bloy a totalement changé d'avis, avec sa violence habituelle : « Le livre de Huysmans est fait avec toutes les loques d'idées que je lui ai fournies depuis 6 ans. Non seulement il m'a volé ma pensée, mais encore il l'a odieusement prostituée et travestie » ; et il demande à Deschamps que son article, « vu la solennité du cas », soit publié en gros caractères.

157

LÉON BLOY. L'Incarnation de l'Adverbe. Manuscrit autographe. — Au colonel Sickles.

Cet article de critique sur *Là-bas*, extraordinairement virulent, fut publié dans *La Plume* du 1er juin 1891.

Il rendit irrémédiable la rupture, déjà bien amorcée, entre les deux écrivains.

158

LETTRE DE GEORGES LANDRY A J.-K. HUYSMANS, 14 juin 1891. — B.N., Ars., Ms. Lambert 25 (9).

Sur papier à en-tête de l'éditeur Savine, chez qui Landry était commis.
Landry, également ami de Bloy et de Huysmans, se montra atterré du cruel article de Bloy sur *Là-bas* : « Il lui était si simple de se taire puisque le livre était jugé mauvais par lui ! mais pour cela il eût fallu qu'il comprît enfin qu'il ne serait pas dit qu'une seule de ses amitiés littéraires aurait été fidèlement gardée par lui. » Quand la rupture entre Bloy et Huysmans fut complète, Landry choisit la fidélité à Huysmans.

159

LETTRE D'ANDRÉ ROULLET A J.-K. HUYSMANS, 3 mars 1901, et Lettre de H. Jacottet à J.-K. Huysmans, 13 mars 1901. — B.N., Ars., Ms. Lambert 35.

« Un groupe d'amis connus et inconnus de Léon Bloy ayant entrepris de le sauver de la misère extrême dans laquelle il ne cesse pas de souffrir... j'ai l'honneur de vous demander d'adresser une aumône aussi importante que possible pour la souscription Léon Bloy. »
Malgré toutes les raisons qu'il aurait pu avoir de repousser cette demande indiscrète, Huysmans contribua pour 50 francs à la souscription. Sur l'enveloppe il a inscrit cette mention « 50 frs à Bloy » et a conservé le récépissé du mandat postal.

160

LÉON BLOY. Sur la tombe de Huysmans. — Paris, Collection des curiosités littéraires, 1913. In-8°. — B.N., Ars., 8° Z 3998.

Edition originale.

« Voilà plus de six ans qu'il est mort, le malheureux, et on pourrait le croire enterré depuis un siècle », dit Bloy dans sa dure préface à cette réédition de quatre articles sur Huysmans, qui jalonnent l'évolution des relations entre les deux écrivains.

161

LÉON BLOY. La Femme pauvre. Avec un hors-texte de Charles Bisson. — Paris, 1926. In-8°. — B.N., Impr., Rés. m. Y². 225.

Après leur rupture Léon Bloy ne cessa de se répandre en invectives contre Huysmans, en particulier dans *La Femme pauvre,* à propos du mariage in-extremis de Villiers de l'Isle-Adam.

La planche de Bisson illustre la soirée chez Gacougnol : on y voit représentés Folantin (Huysmans), Bohémond de l'Isle-de-France (Villiers) et Marchenoir (Léon Bloy). Les trois membres du « Concile des gueux », ainsi que disait Léon Bloy du temps de leur amitié.

162

VILLIERS DE L'ISLE-ADAM. Gravure sur bois de Boileau, d'après Guth. Dans *La Revue illustrée,* 15 janvier 1889. — B.N., Ars., 4° Jo 10235.

Si Huysmans rencontra probablement Villiers dès 1876 à *La République des lettres,* la revue de Catulle Mendès, leurs proches relations ne commencèrent vraiment qu'après *A rebours,* où Huysmans fit un vif éloge de Villiers.

163

PAUL VERLAINE. Villiers de l'Isle-Adam. Dans *Les Hommes d'aujourd'hui,* n° 258. In-4°. — B.N., Arts du spectacle, Rf. 48987.

164

VILLIERS DE L'ISLE-ADAM. Gravure à l'eau-forte tirée en sanguine par Desboutins. — B.N., Ars., Est. Fol. Suppl. 2, f. 54.

N° 162

165

LETTRE DE VILLIERS DE L'ISLE-ADAM A J.-K. HUYSMANS, 25 octobre 1886. — A M. Henry Trouvé.

Gustave Guiches, dans un article sur *Villiers de l'Isle-Adam intime* (*Le Figaro,* suppl. litt., 31 août 1889), raconte combien Villiers, aux dîners chez Huysmans ou lors d'autres réunions, « apportait toujours son superbe écot de gaîté et, des heures entières, il parlait, son éloquence roulant dans un pêle-mêle de gave, des anecdotes, des improvisations étourdissantes, des plaisanteries étincelantes, des prosopopées d'un lyrisme resplendissant ».

Cette lettre est l'écho de ces fameux exercices de « pyrotechnie verbale » qu'il n'est pas toujours aisé de comprendre.

(Cf. Bollery, *Une lettre inédite de Villiers de l'Isle-Adam,* dans *Bulletin de la Société J.-K. Huysmans,* 1965, pp. 363-375.)

166

Lettre de Villiers de l'Isle-Adam a J.-K. Huysmans, 4 février 1889. — Collection particulière.

Villiers, déjà déclaré inguérissable par son médecin, mais plein d'illusions sur sa santé (« Robin répond désormais de me redonner tout le souffle sous 15 jours et je crois qu'il y arrivera ») s'inquiète pourtant des difficultés qu'il éprouve à mettre au point l'impression d'*Axël* : « On tire *Axël*. C'est horrible. Je suis aux cent coups, aux abois, ne trouvant plus aucun mot juste. »

167

Lettre de Villiers de l'Isle-Adam a Stéphane Mallarmé [août 1889]. — Bibl. litt. J. Doucet, MVL 3187.

D'une écriture très heurtée, Villiers mourant écrit à son ami Mallarmé : « Ami, j'ai passé deux jours atroces... Les visites me font mal... Je ne veux recevoir que toi et Dierx ou Huysmans, personne d'autre. »

168

Carte-lettre de Stéphane Mallarmé a J.-K. Huysmans, s.d. [7 août 1889, date de la poste.] — Collection particulière.

Mallarmé informe son ami des dernières péripéties concernant les préparatifs du mariage in-extremis de Villiers de l'Isle-Adam sur son lit d'hôpital. On voit que Villiers recule encore devant cette perspective, à laquelle il est poussé par Mallarmé et Huysmans, soucieux d'assurer l'avenir de l'enfant né de sa liaison avec sa femme de ménage.

169

Deux lettres de Stéphane Mallarmé a J.-K. Huysmans, août 1889. — Bibl. litt. J. Doucet, MNR Ms. 463-464.

Mallarmé s'inquiète beaucoup des circonstances du mariage in-extremis de Villiers, se préoccupant de l'alliance et indiquant à Huysmans qu'il est indispensable d'obtenir du mourant qu'il demande lui-même un certificat portant les mots « en danger de mort ».

170

Lettre de J.-K. Huysmans a Stéphane Mallarmé, 10 août 1889. — Bibl. litt. J. Doucet, MVL 1334.

Non sans peine, Huysmans était enfin arrivé à obtenir de Villiers qu'il consente au mariage, dans l'intérêt de son fils. Il en fit aussitôt part à Mallarmé et, ajoute-t-il, « Villiers en fait d'actes ne songe qu'à faire rectifier celui de Totor, où la mère est marquée de profession femme de ménage. Il voudrait y substituer propriétaire ».

171

Lettre de J.-K. Huysmans a Georges Landry. 19 août 1899. — B.N., Ars., Ms. Lambert 25.

« Le pauvre Villiers est mort, hier au soir à 11 heures. »

172

A. de Villiers de l'Isle-Adam. Axël. Paris, Quantin, 1890. In-8°. — B.N., Impr., Rés. 8° Z. Don 599 (9).

Exemplaire dédicacé à Jean Marras par Mallarmé et Huysmans.

L'édition originale d'*Axël*, dont les différentes parties avaient paru depuis 1872 dans diverses revues, ne sortit chez l'éditeur Quantin qu'en janvier 1890. Villiers avait eu le temps avant de mourir d'en corriger environ le tiers des épreuves.

Désigné avec Mallarmé comme exécuteur testamentaire de Villiers, Huysmans connut beaucoup de soucis avec cette édition.

Du dédicataire il avait écrit à Berthe Courrière, au lendemain des obsèques de Villiers : « [La cérémonie] a été souillée par un sieur Marras, un ami de Mendès, qui éprouva le besoin de se faire une réclame en prononçant de vaines paroles sur sa tombe. » (Cité par Baldick, *La Vie de J.-K. H.*, p. 169.)

173

Comptes de la souscription pour Villiers dressés par Mallarmé, 8 janvier 1890. — Bibl. litt. J. Doucet, MVL 3206.

Après la mort de Villiers de l'Isle-Adam, Mallarmé et Huysmans, ses exécuteurs testamentaires, continuèrent scrupuleusement à s'occuper de sa veuve Marie Dantine et de son fils, firent une souscription avec Dierx pour lui procurer un peu d'argent et se chargèrent de l'édition posthume des œuvres de Villiers.

174

Lettre de Georges Landry a Lucien Descaves, 4 mai 1893. — B.N., Ars., Ms. Lambert 25 (9).

Landry envoie à Descaves le livre sur Villiers de l'Isle-Adam de Pontavice du Heussey : « Vous y trouverez à la fin du volume une lettre de Huysmans qui est bien la chose la plus touchante qu'on puisse lire. C'est écrit pour nous, les rares qui ont connu Villiers autre part qu'à la brasserie Dousset. »

175

Paul Verlaine. Stéphane Mallarmé. Dans *Les Hommes d'aujourd'hui*, n° 296. In-4°. — B.N., Arts du spectacle, Rf. 44936 (1).

176

Revue du Monde nouveau. Première année (1874), t. I. — B.N., Ars., 8° Lambert 585.

Ce volume provient de la bibliothèque de Huysmans, ainsi que l'indique une note autographe de Lucien Descaves. Y sont joints une lettre de Mallarmé, de novembre 1882, et la lithographie de Whistler représentant le poète.

Cette revue littéraire n'eut que trois numéros, malgré la participation de Banville, Mallarmé, Heredia, Villiers de l'Isle-Adam, Daudet, Zola, Charles Cros, etc.

à Jean Moréas

Paul Villiers

[signature] et Stéphane Mallarmé

177

EUGÈNE CARRIÈRE. Portrait de Paul Verlaine, 1895-1896. Lithographie. — B.N., Est., Dc 412.

178

LETTRE DE CHARLES MORICE A J.-K. HUYSMANS [1er juillet 1884]. — B.N., Ars., Ms. Lambert 28 (45).

« Monsieur Paul Verlaine actuellement pour peu de temps à Paris, désirerait vous voir et vous demander quelques conseils au sujet de son livre de vers (Œuvres complètes moins *Sagesse*). »

Huysmans avait fait dans *A rebours* un vif éloge de Verlaine, mais c'est seulement à l'été 1884 qu'il fit sa connaissance. Jusqu'à la fin il fut pour lui un ami secourable.

179

LETTRE DE J.-K. HUYSMANS A PAUL VERLAINE, 12 mars 1888. — B.N., Mss., n. a. fr. 13150, fol. 82-83.

Verlaine est à l'hôpital Broussais, salle Follin, lit 22. Huysmans lui souhaite vivement de guérir, estimant qu'il faut qu'eux, « les égarés croyant à l'art », se soutiennent mutuellement.

180

LA SOUSCRIPTION EN FAVEUR DE VERLAINE.

a) Lettre de Emile Zola à J.-K. Huysmans, 25 juillet 1888. — Au colonel Sickles.

b) Lettre de J.-K. Huysmans à Emile Zola, s.d. [juillet 1888]. — B.N., Mss., n. a. fr. 24520, fol. 375.

Zola interroge Huysmans à propos d'une souscription lancée par un certain Poujet en faveur de Verlaine. La réponse de Huysmans est sans équivoque : Il ne connaît pas Poujet. Quant à Verlaine, pour l'instant, sa situation n'est pas dramatique : « Je ne voudrais pas vous dissuader d'aider un réel artiste dans la détresse, un peu, beaucoup par sa faute car l'argent fond en je ne sais trop quoi dès qu'il en a. »

181

VERLAINE ET LE CURÉ DE CORBION. 1888. — Bibl. litt. J. Doucet, Ms. 3394.

a) « Lettre du soutanier », copie, de la main de J.-K. Huysmans, de la lettre de l'abbé Dewez à Verlaine.

b) « Lettre de Bloy à cette charogne de prêtre », copie de la main de Bloy de sa lettre à l'abbé Dewez.

c) Lettre de Paul Verlaine à J.-K. Huysmans.

Verlaine sortant de l'hôpital Broussais, Huysmans, Bloy et ses amis se cotisèrent afin d'envoyer le poète se reposer dans les Ardennes, chez un ami d'enfance, l'abbé Dewez, curé de Corbion, qui l'avait invité. L'affaire échoua car l'abbé Dewez, inquiet de la réputation de Verlaine, reprit son invitation, par cette « lettre du soutanier » dont Huysmans envoya la copie sous ce titre à Bloy. Celui-ci, à son habitude, réagit par une lettre d'injures violentes au malheureux prêtre. Quant à Verlaine, il en profita pour demander à ses amis d'utiliser l'argent rassemblé en le rhabillant à neuf.

(Cf. J. Bollery et F. Muller, *Un séjour ignoré de Verlaine en Belgique*, dans *Cahiers L. Bloy*, 1938.)

N° 182

182

VERLAINE au café François-Ier. 28 mai 1892. Photographie Dornac. — B.N., Ars., Fonds P. Lambert.

On raconte que souvent Verlaine, en plein désarroi, venait s'asseoir dans un café proche du Ministère de l'Intérieur et par des billets répétés appelait à l'aide Huysmans qui finissait toujours par venir le rejoindre.
(Cf. Baldick, *op. cit.*, p. 150.)

183

F.-A. CAZALS. Paul Verlaine. Ses portraits. Préface de J.-K. Huysmans. — Paris, Bibliothèque de l'Association, 1896. In-fol. — B.N., Ars., Fol. Lambert 2.

Cet exemplaire n° 36 sur japon provient de la bibliothèque de Huysmans. Une lettre de Cazals à Huysmans, du 11 septembre 1889, y est jointe, transmettant à celui-ci, de la part de Verlaine, le sonnet qui lui est consacré dans *Dédicaces* :

> « Sa douceur qui n'est pas excessive,
> Elle existe mais il faut la voir
> Et c'est une laveuse au lavoir,
> Tapant ferme et dur sur la lessive [...] »

ainsi que celui dédié à Léon Bloy.

184

VERLAINE sur son lit de mort. Lithographie de F.-A. Cazals. — B.N., Ars., Fonds P. Lambert.

Cette lithographie, extraite de *The Senate*, février 1896, est dédicacée à Huysmans par Cazals.

185

LE SLEEPING CAR. Manuscrit autographe. — B.N., Ars., Ms. Lambert 5.

René d'Hubert, rédacteur en chef du *Gil Blas*, avait demandé un article à Huysmans. Celui-ci lui proposa ce texte, inspiré par l'expérience qu'il avait faite des chemins de fer lors de son voyage à Hambourg d'août 1888. D'Hubert, peu soucieux de se brouiller avec la Compagnie des wagons-lits, refusa de le publier. Finalement, il parut dans *La Revue indépendante*, de mars 1889, et fut repris dans *De tout* en 1902.

186

LETTRE DE J.-K. HUYSMANS A LÉON BLOY. Hambourg, 16 août 1888. — B.N., Ars., Ms. 15097/19.

L'été 1888, sur l'invitation de son ami Arij Prins, Huysmans partit pour Hambourg, désirant aller voir les Primitifs des musées allemands. C'est à cette occasion qu'il vit à Cassel *La Crucifixion* de Grünewald qui le frappa durablement. Mais il consacra aussi une partie de son temps à visiter les bas-fonds de Hambourg, et les décrivit pittoresquement à ses amis, en particulier à Léon Bloy.

187

LETTRE DE MAURICE DE FLEURY A J.-K. HUYSMANS, 7 août 1888. — B.N., Ars., Ms. Lambert 35.

En voyage en Allemagne chez son ami Arij Prins, Huysmans restait cependant en liaison épistolaire avec ses proches amis, comme Maurice de Fleury. Celui-ci dans cette lettre lui donne des nouvelles de Zola, qui voudrait bien entrer à l'Académie française et « du vieux Goncourt qui larmoie parce qu'on le délaisse et qu'on le plante là avec son académie sur le giron ».

188

JUTIGNY ET LOURPS. 4 cartes postales et 3 photographies. — B.N., Ars., 8° Lambert 204.

C'est dans ce village de Seine-et-Marne que Huysmans a situé le décor d'*En rade*. Il y passa plusieurs fois ses vacances accompagné d'Anna Meunier, et même en 1885 de Léon Bloy. Il séjourna dans le château de Lourps, qu'il donne également comme le berceau de la famille Des Esseintes.

Ces documents proviennent de Gabriel-Ursin Langé. (Cf. G.-U. Langé, *Au pays d'En rade*, Fécamp, 1930.)

LONGUEVILLE. - Ancienne Eglise de Lourps

N° 188

189

LETTRE DE J.-K. HUYSMANS A EMILE ZOLA. Jutigny, 20 juillet 1884. — B.N., Mss., n. a. fr. 24520, fol. 362.

En séjour au château de Lourps, près de Jutigny, Huysmans s'appliqua à rassembler des éléments sur la vie campagnarde, qu'il utilisa dans *En rade*. On voit dans cette lettre combien il jugeait sans indulgence les mœurs paysannes.

190

La Vogue. N° 8. 13-20 juin 1886. — B.N., Ars., 8° Jo 20552.

Huysmans ne collabora qu'exceptionnellement à cette revue symboliste dirigée par Gustave Kahn.

Dans ce numéro, où l'on trouve des textes de Mallarmé, Rimbaud, Félix Fénéon, il donna une pièce intitulée *Esther*, qui fut reprise dans *En rade*.

191

En Rade. Paris, Tresse et Stock, 1887. In-18. Broché. — B.N., Ars., 8° Lambert 49.

Edition originale.

192

Lettre de François Coppée a J.-K. Huysmans, 7 mai 1887. — B.N., Ars., Ms. Lambert 28 (14).

« Je viens de lire votre *En rade*... Quelle réalité cruelle ont vos paysans, peints dans une manière minutieuse et féroce, comme par un Holbein enragé. »

Le livre, dans l'ensemble, fut cependant assez mal accueilli.

193

François Coppée. Photographie Delit. — B.N., Ars., Ms. Lambert 28 (14).

Photographie dédicacée à Mme Leclaire par Georges Landry : « Lui aussi fut pour moi un ami délicat et bon ».

Coppée fut un ami de Huysmans dès ses débuts naturalistes ; ils participèrent ensemble aux « dîners du Bœuf nature ».

Plus tard la conversion de Huysmans contribua encore plus à les rapprocher. (Cf. F. Coppée, *J.-K. Huysmans*, dans *Le Gaulois*, 14 mai 1907.)

194

Revue de l'Exposition universelle de 1889. N° 1, mai 1889. — B.N., Ars., 4° Jo 10385.

Dans une lettre à Arij Prins du 27 avril 1889, Huysmans mentionne qu'il est allé à l'Exposition pour « une revue consacrée à cette ordure, c'est inouï ! » Il écrivit en effet un article sur *Les derniers travaux* dans le n° 1 de mai 1889.

Il s'y rendit accompagné de Gustave Guiches et nota particulièrement dans son *Carnet vert* ses impressions sur les danseuses javanaises ; peu sensible à l'exotisme, il remarqua surtout leurs pieds sales.

Il s'amusa cependant de voir une maison de liqueurs de Rotterdam distribuer une brochure vantant ses produits grâce à des passages d'*A rebours*.

C'est également à l'Exposition qu'il rencontra Michel de Lézinier qui y avait reconstitué un laboratoire d'alchimiste au XVIᵉ siècle.

195

Auguste Lepère. Le Palais des machines, 1889. Bois pour *La Revue illustrée*, 1889. — B.N., Est., Ef 423 b, t. IV.

Huysmans, qui détestait la foule, ne pouvait aimer les expositions universelles. S'il devait se réjouir de demeurer à Ligugé au moment de l'exposition de 1900, il fréquenta pourtant celle de 1889. A l'égard de l'architecture de fer, sa position fut assez ambiguë : il prit la tête des violentes attaques que suscita la Tour Eiffel. En revanche il loua « le prodigieux vaisseau du palais des machines » et « l'exorbitante ogive » de son toit.

LA GENESE DE LA-BAS

196

Lettre de J.-K. Huysmans a Emile Zola [1887]. — B.N., Mss., n. a. fr. 24520, fol. 412.

Huysmans annonce à Zola qu'il travaille sur son prochain livre : « je me décide à faire mon bouquin sur la lisière du monde clérical et sur les partisans du bon roi Charles XI et il me faut de préliminaires travaux d'hagiographie qui m'ennuient, ah oui ! pour l'instant. Ajoutez à cela des notions d'alchimie, de médecine Mattei, toute une série d'études indispensables pour rendre proprement la série des tocqués que je surveille depuis quelques années déjà ».

A l'origine il semble que Huysmans ait décidé de consacrer son livre à la cause des Naundorffistes et à la foule de prophètes et d'occultistes qui gravitaient dans ce milieu. Finalement il préféra se tourner vers le Moyen Age et Gilles de Rais.

197

La Légitimité. Journal historique hebdomadaire, organe de la survivance du roi-martyr. Troisième année, n° 2, 11 janvier 1885. — B.N., Ars., 8° Jo 20791.

Il est probable que c'est Villiers de l'Isle-Adam, naundorffiste à ses heures, comme en témoigne ce *Droit du passé*, qui avait mis en rapport Bloy et Huysmans, avec cette « série de tocqués » ainsi que les qualifie Huysmans lui-même dans sa lettre à Zola de 1887 Une autre feuille naundorffiste, *Le Légitimiste*, avait publié en 1886 un prospectus annonçant ses opinions et citant parmi les membres de sa rédaction le marquis Williers [*sic*] de l'Isle-Adam, Léon Bloy, Leconte de Paris, Wuitsmans [*sic*], etc.

198

Alfred Le Petit. Caricature de Joséphin Péladan, vers 1890, sur la couverture du n° 369 des *Hommes d'aujourd'hui*. — B.N., Ars., Ms. 13412 (1).

Personnage extravagant, Joséphin Péladan, qui se faisait appeler le « Sâr » et voulut rénover le mouvement mystique des Rose-Croix, n'eut avec Huysmans que des relations orageuses. Pourtant, Péladan subit visiblement l'influence d'*A rebours*, que l'on retrouve dans plusieurs de ses romans de la série *La Décadence latine*. Huysmans entra de loin en lutte avec lui, au moment de ses relations avec Boullan, lequel voulut exorciser Péladan et ses amis.

199

JOSÉPHIN PÉLADAN. Le Vice suprême. Préface de Jules Barbey d'Aurevilly. Frontispice de Félicien Rops. — Paris, Librairie des auteurs modernes, 1884. — B.N., Ars., 8° Lambert 517.

L'ouvrage porte cette dédicace : « A M. J.-K. Huysmans ce catholique « A Rebours » de tout le présent immonde est offert en témoignage de la plus grande estime et de la plus vive sympathie. Joséphin Péladan. 3 octobre 1884 ».

L'estime et la sympathie ne furent pas réciproques. Dans *Là-bas* Huysmans se moque cruellement de Péladan, « mage de camelote et bilboquet du midi ».

200

LETTRE DE JOSÉPHIN PÉLADAN A J.-K. HUYSMANS [1886]. — Au colonel Sickles.

« Samedi à 6 h... venez mal dîner avec nous ; je serai forcé de sortir de bonne heure mais vous causerez choses A rebours avec Sœur... Cela par dessus les convenances et cérémonies que vous estimez comme fait notre Danubien Bloy, je pense... »

Le Sâr Péladan avait alors pour maîtresse Henriette Maillat, « Sœur », qui avait été aussi celle de Bloy, et qu'il avait peint sous les traits de la princesse d'Este, dans *Le Vice suprême*. Avant de rencontrer Huysmans par l'intermédiaire de Péladan, elle était entrée en contact avec lui de la façon même dont Mme Chantelouve attire la curiosité de Durtal.

201

LETTRE DE J.-K. HUYSMANS A HENRIETTE MAILLAT [1888]. — Au colonel Sickles.

« Bloy était chez moi ce matin quand la bonne est venue. La stupeur de Bloy fut comique... il m'a dit : Vous connaissez donc Mme Maillat... J'ai beaucoup, beaucoup pensé à vous depuis deux jours et le résultat de mes pensées c'est que j'ai pour vous une bien bonne et bien vraie affection... »

La rapide liaison de Huysmans avec Henriette Maillat fut fort décevante. Cela n'empêcha pas cette dernière de faire appel à lui plusieurs fois quand, plus tard, elle eut des difficultés financières.

202

LETTRE D'HENRIETTE MAILLAT A J.-K. HUYSMANS, s.d. — Au colonel Sickles.

Après leur rupture Huysmans rendit ses lettres à Henriette Maillat, non sans en avoir pris copie et les avoir assez inélégamment utilisées dans *Là-bas*, en les attribuant à Mme Chantelouve.

Par cette lettre Henriette Maillat réclame leur restitution.

203

LETTRE DE J.-K. HUYSMANS A HENRIETTE MAILLAT [1889]. — B.N., Ars., Ms. Lambert 81.

Une des nombreuses lettres de Huysmans à Henriette Maillat où, répondant à ses sollicitations, il lui annonce que, malgré ses difficultés, il lui enverra un peu d'argent. Il y mit fin quand elle essaya d'augmenter sa générosité en tentant de le faire chanter.

204

INAUGURATION de la statue de la République au Palais du Champ-de-Mars, dans *Le Monde illustré*, 1878. — B.N., Est., Va 275 b, t. I.

Cette statue de la République, inaugurée dans le cadre de l'Exposition universelle de 1878, fut l'œuvre du sculpteur Auguste Clésinger (1814-1883) qui avait, en 1847, épousé la fille de George Sand. En 1878, le modèle de Clésinger s'appelait Berthe Courrière. On sait que cette dernière fut une des initiatrices de Huysmans à l'occultisme et un des modèles de Mme Chantelouve. Il paraît piquant de voir les plus hauts dignitaires de la Troisième République se découvrir devant sa représentation idéalisée.

C'est par l'intermédiaire de Rémy de Gourmont, avec qui elle vivait alors, que Huysmans fit sa connaissance.

205

LETTRE DE BERTHE COURRIÈRE A J.-K. HUYSMANS, 27 juillet 1891. — B.N., Ars., Ms. Lambert 25 (30).

Berthe Courrière et Huysmans entretinrent une intéressante correspondance partiellement éditée par A. Du Fresnois (*Une étape de la conversion de Huysmans*, Paris, s.d.). Toujours curieuse d'occultisme, elle demande à Huysmans, alors en visite à Lyon chez Boullan, de se renseigner sur le chanoine Van Haecke et d'essayer de savoir « comment Boullan s'y prend pour faire contracter ses unions [de vie] ».

206

RÉMY DE GOURMONT. Gravure par P.-E. Vibert. — B.N., Ars., Est. Fol. Suppl. 1, f. 83.

207

RÉMY DE GOURMONT. Sur M. Huysmans et sur la religion, l'art, la symbolique, le diable et Christine de Stommeln. Manuscrit autographe. — Bibl. litt. J. Doucet, Ms. 7239-4.

Cet article fut publié dans *La Revue blanche*, 1er avril 1898.

Gourmont se montre extrêmement sévère envers son ancien ami, l'accusant de travailler toujours de seconde main, de ne connaître les poètes latins que par Ebert et d'avoir tiré sa description de messe noire de son imagination satanique.

Leur amitié avait été de courte durée : en 1889 Gourmont, alors employé à la Bibliothèque nationale, présenta à Huysmans un conte qu'il voulait lui dédier et bientôt devint un habitué de la rue de Sèvres. Sa maîtresse, Berthe Courrière, joua le rôle que l'on sait dans la documentation occultiste de Huysmans.

Leur amitié se concrétisa dans la préface écrite par Huysmans pour *Le Latin mystique* de Gourmont en 1892, mais cette préface marque aussi le début de leur incompréhension réciproque.

208

LETTRE DE RÉMY DE GOURMONT A J.-K. HUYSMANS [octobre 1890]. — B.N., Ars., Ms. Lambert 28 (25).

Gourmont est parti à Bruges chercher Berthe Courrière. « Tout est donc clos. Il y a des prêtres infâmes ailleurs qu'à Paris et Châlons. Vous aurez de bien étranges récits à entendre. »

Sur la foi des renseignements rapportés par Berthe Courrière, Huysmans se montra convaincu du satanisme du chanoine Van Haecke. (Cf. sa préface pour *Le Satanisme et la magie*, de Jules Bois.)

209

LETTRE DE RÉMY DE GOURMONT A J.-K. HUYSMANS [23 septembre 1890]. — B.N., Ars., Ms. Lambert 28 (25).

« J'ai reçu de Belgique de très inquiétantes nouvelles de Mme Courrière [...] peut-être passerai-je au ministère ou au café pour que vous me réconfortiez un peu. »

En visite à Bruges pour se renseigner sur les pratiques sataniques qu'elle attribuait au chanoine Van Haecke, Berthe Courrière eut un comportement si étrange qu'elle fut internée dans l'hôpital psychiatrique Saint-Julien.

210

FORMULE POUR LA PRÉSERVATION DES MALÉFICES, vers 1890. Feuillet autographe. — B.N., Ars., Ms. Lambert 30.

Ce formulaire date des relations de Huysmans et de l'abbé Boullan. Il fut probablement écrit pour Berthe Courrière.

211

WILLY. Maîtresse d'esthètes. [Couverture illustrée par A. Guillaume]. — Paris, H. Simonis Empis, 1897. In-16. — B.N., Ars., 8° R.N. 9184.

Henry Gautier-Villars, dit Willy, le premier mari de Colette, écrivit, avec la collaboration de Jean de Tinan, ce roman à clefs.

L'héroïne du roman évoque plusieurs de ces jeunes femmes, toujours prêtes à suivre les extravagances de la mode, dans le domaine intellectuel comme dans celui de l'habillement : parmi elles, Henriette Maillat, Berthe Courrière, ou la dessinatrice Jeanne Jacquemin. L'image que donne d'elles sur la couverture du livre le dessinateur Albert Guillaume, est tout à fait évocatrice.

212

TIFFAUGES.

a) Vue de Tiffauges. Carte postale. — B.N., Ars., Ms. Lambert 35.
Carte postale envoyée à J.-K. Huysmans par Henri Girard.

b) Tiffauges. Château de Gilles de Rais. Lithographie. 19e s. — A M. H. Lefai.
Dans le souci de se documenter sur Gilles de Rais, Huysmans, accompagné de son ami Francis Poictevin, fit un court séjour à Tiffauges, où l'avaient déjà précédé Flaubert et Maxime Du Camp, en 1847.

le moyen de se préserver du maléfice est très-facile à faire :

1° : cette dame devra avoir d[ans] sa chambre à coucher une veilleuse, pendant la nuit.

Les Envoûtements ou les opérations de magie noire ont lieu la nuit

La lumière est un grand obstacle à ces funestes opérations.

2° il faudrait, en se couchant, faire brûler sur des charbons de bois embrasés, des parfums

Cette fumée est un grand et puissant préservatif.

Comme ces parfums ont besoin d'être bénis, je vous les enverrai dans une boîte par colis postal, et on les lui remettra.

5 minutes suffisent et quelques pincées de ces parfums sont suffisants.

3° j'ajouterai un flacon d'eau où j'aurai mis quelques gouttes d'eau de Salat

Si elle sentait un malaise, elle prendrait quelques cuillerées à café de cette eau, à intervalle

Et le malaise cessera.

4° Elle devrait porter sur elle un Commandement suprême contre toute opération de magie noire

je vous enverrai ce commandement

Vous voudrez bien y mettre le nom et le prénom de cette dame

Le commandement suprême devra être porté, suspendu sur la poitrine, jour et nuit, d'un sachet qu'on suspend sur un ruban

213

FRANCIS POICTEVIN. Paysages. Avec un portrait de l'auteur dessiné en lithographie par Jacques E. Blanche. — Paris, librairie de la Revue indépendante, 1888. In-8°. — A M. H. Lefai.

Francis Poictevin, riche écrivain amateur, qui passe pour être un des modèles de Des Esseintes, fut un des plus curieux amis de Huysmans. Passionné d'étrangetés, à demi fou, il accompagna Huysmans sur les traces de Gilles de Rais. Unis par leurs goûts communs pour l'art et le mysticisme, ils restèrent en correspondance jusqu'à la mort de Poictevin à Menton, en 1904.

214

FRANCIS POICTEVIN. Presque. — Paris, Lemerre, 1891. In-8°. Reliure en maroquin mauve, dentelle intérieure, gardes de moire brodée blanche. — B.N., Ars., 8° Lambert 525.

Exemplaire n° 2 sur chine. Il porte cette dédicace : « A Huysmans, au maître-peintre flamand du XVe s., son admirateur affectueux, Francis Poictevin ».

215

JOSEPH VON GOERRES. La Mystique divine, naturelle et diabolique. Trad. par Charles Sainte Foi. — Paris, Poussielgue-Rusand, 1861. In-8°. — B.N., Ars., 8° Lambert 429.

Ce volume provient de la bibliothèque de J.-K. Huysmans.

Dans une lettre à Dom Thomasson de Gournay, 14 mai 1897, il donna son opinion sur cet ouvrage, qu'il utilisa pour Là-bas, où il est cité dans la bibliothèque de Carhaix : « Ce rationalisme mystique me semble absurde. Vouloir expliquer l'odeur de sainteté par des huiles et patauger dans la physiologie... c'est bien maladroit ».

216

NOTES prises par Huysmans dans La Mystique, de Görres, 1862. Manuscrit autographe. — B.N., Ars., Ms. Lambert 28 (3).

Ces notes servirent pour le chapitre sur Félicien Rops dans Certains et pour Là-bas.

217

ABBÉ EUGÈNE BOSSARD. Gilles de Rais, maréchal de France, dit Barbe-Bleue. — Paris, Champion, 1886. In-8°. — B.N., Ars., 8° N.F. 31027.

Cet ouvrage constitua la principale source sur Gilles de Rais utilisée par Huysmans, qui, comme souvent, ne s'embarrassa guère d'aller étudier les documents originaux.

218

[DOM RÉMI CARRÉ.] Recueil curieux et édifiant sur les cloches de l'Eglise... — Cologne-Paris, Vve Lemesle, 1757. In-8°. — B.N., Ars., 8° T 1877.

Un des livres sur les cloches, de la bibliothèque de Carhaix, le sonneur de l'église Saint-Sulpice, dans Là-bas.

219

EGLISE SAINT-SULPICE. La tour du sonneur. Photographie. — B.N., Ars., Fonds P. Lambert.

C'est dans cette tour que Huysmans place les célèbres scènes de *Là-bas* chez le sonneur Carhaix, où Durtal et Des Hermies dissertent sur le satanisme contemporain en dégustant de succulents pot-au-feu.

220

EUGÈNE LEDOS. Photographie. — B.N., Ars., Ms. Lambert 34.

Eugène Ledos, né en 1822, fit paraître en 1894, un *Traité de la physionomie humaine*. Bien oublié alors, il avait eu son heure de célébrité sous l'Empire, comme l'astrologue Gévingey dont il semble bien être le prototype, personnage dont Des Hermies dans *Là-bas* dit qu'il fut « astrologue de l'impératrice ».

221

DEUX LETTRES DE CHARLES BUET A J.-K. HUYSMANS, 15 et 18 avril 1891. — B.N., Ars., Ms. Lambert 35.

Charles Buet passe pour le modèle du peu attrayant M. Chantelouve. Il ne s'en formalisa guère et, au contraire, il remercie Huysmans pour l'envoi de *Là-bas* et lui donne des renseignements sur Cantianille et divers autres occultistes évoqués dans le livre.

222

LE SALON DE CHARLES BUET. Photographie d'après la gouache d'Henry Langlois. — B.N., Ars., Ms. Lambert 35.

Le salon littéraire de Charles Buet était ouvert le jeudi, avenue de Villars. Les principaux habitués en étaient François Coppée, Léon Bloy, J.-K. Huysmans, Laurent Tailhade, Victor Margueritte, Péladan, Stanislas de Guaita, Charles Cros, Paul Bourget, Barbey d'Aurevilly, Jean Lorrain et Roselia Rousseil, la muse de ce salon.

223

MICHEL DE LÉZINIER. Photographie. — B.N., Ars., Ms. Lambert 33.

Huysmans avait rencontré le Dr Michel de Lézinier à l'Exposition universelle de 1889, où celui-ci avait reconstitué un laboratoire d'alchimiste du XVIe siècle. Proches par leurs curiosités, ils continuèrent à se voir assez fréquemment et c'est Lézinier qui fournit à Huysmans le nom de Durtal pour son héros porte-parole. Il est peut-être partiellement dépeint sous les traits de Des Hermies dans *Là-bas*. (Cf. M. de Lézinier, *Avec Huysmans*, Paris, 1928.)

224

BLAGUE A TABAC de Huysmans. — B.N., Ars., Fonds P. Lambert.

Ce très grand fumeur ne quittait jamais sa cigarette et Paul Valéry le dépeint ainsi : « Il roulait de ses mains fines et féminines des cigarettes qu'ils embrasait vivement, à peine pincées par le milieu entre ses doigts minces », et Descaves, dans ses *Souvenirs d'un ours*, relate que près de Huysmans mort, sur sa table de nuit, se trouvait sa dernière cigarette à moitié fumée.

C'est cette même blague à décor japonais que Huysmans décrit dans *Là-bas* entre les mains de Des Hermies.

225

LE CHANOINE VAN HAECKE. Photographie. — B.N., Ars., Ms. Lambert 30.

Ce chanoine du Saint-Sang de Bruges, passe pour avoir été l'inspirateur du satanique chanoine Docre de *Là-bas.* (Cf. H. Bossier, *Un personnage de roman : le chanoine Docre de Là-bas,* Bruxelles, 1943.)

226

MESSE NOIRE célébrée sur la croupe d'une femme. *L'Assiette au beurre.* N° 141, 12 décembre 1903. — B.N., Ars., Fol. Lambert 14.

Ce numéro de *L'Assiette au beurre* consacré aux messes noires, quoique légèrement postérieur à *Là-bas,* correspond bien aux descriptions de Huysmans, dont on peut cependant douter qu'il ait jamais assisté à une messe noire.

227

LA-BAS. Manuscrit autographe. Reliure en maroquin bleu foncé janséniste doublé de maroquin rouge, gardes de moire noire (Mercier, 1922). — Au colonel Sickles.

Ce manuscrit a servi pour l'impression et comporte de nombreuses variantes et corrections aux crayons de couleurs.

228

LA-BAS. — Paris, Tresse et Stock, 1891. In-18. — B.N., Ars., 8° Lambert 68.

Exemplaire de l'édition originale dédicacé à Jules Bobin, un des plus vieux amis de Huysmans.

229

LETTRE D'EMILE ZOLA A J.-K. HUYSMANS, 15 mai 1891. — Au colonel Sickles.

Quoique *Là-bas* débute par une sévère critique du naturalisme, Zola se montre très admiratif pour l'œuvre et conclut : « On semble s'apercevoir aujourd'hui mon cher Huysmans, que nous ne pensons pas tout à fait de même. Mais cela, n'est-ce pas ? a toujours été ; et cela ne nous a jamais empêchés de nous aimer dans nos œuvres ».

230

LE COURRIER FRANÇAIS. 15 mars 1891. Dessins d'Heidbrinck pour le Bal mystique. — B.N., Ars., Fol. Jo 692.

Là-bas commença à paraître en feuilleton dans *L'Echo de Paris* du 15 février 1891. Le bal organisé sous le patronage du *Courrier français,* magazine assez léger dirigé par Jules Roques, eut lieu une quinzaine plus tard. Ce n'est pas par hasard. C'est en effet Jean Lorrain, alors un des principaux collaborateurs de la revue, qui eut l'idée de proposer comme thème du bal costumé le mysticisme plus ou moins frelaté, à la mode et d'une actualité plus aiguë depuis la publication du roman de Huysmans.

Ce dernier que réjouissait modérément cette vulgarisation du satanisme, écrivit à Lorrain le 15 avril :

« J'ai parcouru tous les derniers numéros du *Courrier français* au café ce soir. Lorrain ! Lorrain ! Vous sacrilégez avec une préméditation qui fera, lorsque conduit par des anges à buffleteries et à bicornes, vous comparaîtrez devant les Définitives Assises, [que] vous serez condamné au maximum de la peine. » (B.N., Ars., Ms. Lambert 21/36.)

UN « PRETRE » LYONNAIS

L'abbé Joseph Boullan. Photographie. — B.N., Ars., Fonds P. Lambert.

Joseph Boullan, né en 1824, dans le Tarn-et-Garonne, fut ordonné prêtre en 1848. En 1850, il se rendit à Rome, où il devint docteur en théologie. Son premier ouvrage publié fut une traduction de *La Vie de la Vierge*, de Marie d'Agreda, mystique assez suspecte. Esprit peu équilibré, il s'orienta tout d'abord vers la doctrine de la Réparation ou substitution mystique, courant alors très en faveur sous l'impulsion de l'apparition de La Salette. Après sa rencontre avec Adèle Chevalier, il inclina rapidement vers des doctrines hérétiques et se lança dans des pratiques plus que douteuses et perverses. Condamné et chassé de l'Eglise, il fut de plus en plus mêlé à des affaires louches. En 1875, après la mort de Vintras, le prophète de Tilly, il devint pontife suprême des Carmels vintrasiens. La célébrité lui vint grâce à Huysmans, auprès de qui il parvint, malgré les occultistes parisiens et les Rose-croix, à se montrer sous un jour flatteur de grand mage blanc. (Cf. M. Thomas, *Un aventurier de la mystique, l'abbé Boullan*, dans *Cahiers de la Tour Saint-Jacques*, VIII, 1963.)

N° 231

232

Feuillet de notes autographes de J.-K. Huysmans sur Boullan. Au crayon. — B.N., Ars., Ms. Lambert 30.

Ces notes semblent avoir été prises rapidement au cours d'une entrevue avec Oswald Wirth, le 7 février 1890, quand Huysmans essaya d'obtenir du jeune occultiste des renseignements sur Boullan.

233

LETTRE DE BOULLAN A J.-K. HUYSMANS et documents joints, 20 février 1890. — B.N., Mss., n. a. fr. 16596, fol. 66-69.

Berthe Courrière, très au courant du monde occultiste, indiqua à Huysmans l'abbé Boullan comme susceptible de lui fournir des informations sur les satanistes modernes. Huysmans entama une correspondance avec Boullan, qui bientôt se mit à lui envoyer une grande abondance de renseignements sur les envoûtements, les messes noires, les succubes, etc. Dans cette lettre Boullan, qui s'estime calomnié par la « bande Péladan », expose qu'il sert la cause de Dieu et de l'anti-satanisme. Il y joint des « Documents de la 1re classe pour M. J.-K. Huysmans, exemple du succubat et de la messe pour Satan ». Huysmans reprit textuellement dans *Là-bas* des passages de ces documents.

234

MARIE DE JÉSUS, abbesse d'Agreda. Vie divine de la très sainte Vierge Marie ou Abrégé de la cité mystique,... trad. par Joseph Boullan,... — Paris, Lecoffre et Cie, 1861. In-16. — B.N., Ars., 8° Lambert 486.

Exemplaire de J.-K. Huysmans.

Le 20 février 1890, Boullan écrit à Huysmans : « Je suis en effet le traducteur de l'ouvrage : Vie divine de la très sainte Vierge. J'étais alors à 29 ans supérieur des missionnaires. Cette publication qui a eu 50 000 mille [*sic*] exemplaires vendus me valut la perte de ma position, de la manière la plus indigne ».

235

[ABBÉ JOSEPH BOULLAN.] La Véritable réparation ou l'âme réparatrice,... par M. l'abbé J.-M. de B. — Paris, Sarlit, 1859. In-16. — B.N., Ars., 8° Lambert 586.

« J'ai l'intention de vous envoyer selon la volonté d'en haut qui m'a été manifestée hier, un livre qui a pour titre *L'Ame réparatrice*. Ce livre a joué dans ma vie un rôle semblable à celui que votre *Là-bas* va avoir pour vous. » (Lettre de Boullan à Huysmans, Lyon, 5 avril 1891.)

Ce livre provient des archives de Julie Thibault et comporte en tête un feuillet autographe de Boullan.

236

ABBÉ JOSEPH BOULLAN. Journal, 1876-16 juillet 1889. Manuscrit autographe. — B.N., Ars., Fonds P. Lambert.

En une page, Boullan donne un résumé sommaire de sa vie et de ses doctrines, depuis sa rencontre avec Julie Thibault.

237

ABBÉ JOSEPH BOULLAN. Mission de Moyse et Aaron. Initiation à ce ministère, le 1er de la 3e série du tarot Henochite, 18-27 septembre 1884. Manuscrit autographe. — B.N., Ars., Fonds P. Lambert.

Dans ce texte, Boullan expose la doctrine et le cérémonial des unions de vie.

238

ABBÉ JOSEPH BOULLAN. Journal de ma mission, 1889. Manuscrit autographe. — B.N., Ars., Fonds P. Lambert.

Boullan y expose ses « lumières reçues sur la question fondamentale des saintes unions de vie », ainsi que ses songes et ses visions.

239

LES ADEPTES DE BOULLAN à Lyon. Photographie. — B.N., Ars., Fonds P. Lambert.

On reconnaît Mme Gay et ses filles et Antonia Laverlochère. Toutes portent au cou le triangle, insigne de « La Lumière », le groupe de Lucie Grange, une illuminée proche de Boullan. Mme Gay tient à la main la photographie de Boullan.

240

PASCAL MISME. Cliché Victoire, Lyon. — B.N., Ars., Ms. Lambert 31.

Cet architecte lyonnais, installé 7, rue de La Martinière, à Lyon, hébergea de longues années le groupe de Boullan.

241

LETTRE DE L'ABBÉ BOULLAN, sous le nom de Vincine Misme, à Mgr Charles Louis, élu par le ciel au titre de grand monarque, 30 janvier 1885. — B.N., Ars., Fonds P. Lambert.

Devenu pontife suprême des Carmels vintrasiens, Boullan s'attacha à défendre la cause des naundorffistes, comme le prophète de Tilly.

242

LETTRE DE L'ABBÉ BOULLAN, sous le nom de Julie Thibault, à l'abbé Henry Dupuy, rédacteur de *La Légitimité*, 20 octobre 1884. — B.N., Ars., Fonds P. Lambert.

Sous le couvert de Julie Thibault, à travers l'exposé de sa vie et de ses visions : « Je vivais à Venteuil en Champagne et j'y étais vigneronne... lorsque la main du Seigneur tomba sur moi... C'est en 1873 que j'ai connu Louis XVII... Je suis à Lyon depuis un an, c'est la ville, chacun le sait, où le grand monarque doit être proclamé ». Boullan essaya de s'affilier à d'autres courants naundorffistes.

243

INTERPRÉTATION, PAR L'ABBÉ BOULLAN, du nom de Wirth, 24 août 1885. Manuscrit de la main de Pascal Misme. — B.N., Ars., Fonds P. Lambert.

Désireux de se renseigner sur les activités de l'abbé Boullan, Oswald Wirth, jeune occultiste, parvint, pendant un an, en 1885, à entrer dans ses bonnes grâces et à obtenir de lui un exposé de ses doctrines. Puis il rompit brutalement et, plus tard, le démasqua publiquement dans *Le Temple de Satan*, en 1891. Entre temps, avec Guaita, il avait essayé de révéler les turpitudes de Boullan à Huysmans, que cela n'impressionna guère.

Sur ce document, Boullan a ajouté de sa main ; « envoyé avec une lettre, le 25 août 1885 ».

244

LETTRE D'OSWALD WIRTH A L'ABBÉ BOULLAN, 24 mai 1887. — B.N., Ars., Ms. Lambert 30 (5).

Par cette lettre, inspirée par Stanislas de Guaita et signée par Oswald Wirth, débute ce qu'on a appelé « la guerre des Mages » entre Guaita, Péladan et Boullan. En effet, Guaita et Wirth informent Boullan qu'il a été condamné par un tribunal initiatique. Celui-ci, épouvanté, se mit en mesure de repousser les envoûtements.

Par la suite, quand Boullan mourut en 1893, Huysmans fut persuadé qu'il avait été tué par les maléfices de Guaita.

245

STANISLAS DE GUAITA. Essais de sciences maudites,... II. Le Serpent de la Genèse : le Temple de Satan,... — Paris, Carré, 1891. In-8°. — B.N., Impr., 8° R. 9636.

Après avoir condamné les doctrines de Boullan, Stanislas de Guaita en fit la divulgation publique dans cet ouvrage, où il montrait le caractère pervers, indécent et satanique de ces pratiques.

246

LETTRES ADRESSÉES PAR DES RELIGIEUSES CARMÉLITES DE NIMES A BOULLAN, 1873-1874. — B.N., Ars., Fonds P. Lambert.

Dans une lettre à Gustave Boucher, du 4 août 1892, Huysmans, alors à Lyon, indique qu'il dépouille une volumineuse correspondance d'un couvent de carmélites : « Remarquez qu'il ne s'agit pas ici de mauvaises religieuses mais d'êtres admirables qui ont passé par les attaques sataniques charnelles les plus atroces. C'est la preuve de ce que je vous disais de la puissance démoniaque au cloître ».

247

LETTRE DE J.-K. HUYSMANS A JULIE THIBAULT [4 janvier 1893]. — B.N., Ars., Ms. Lambert 30.

« 1893 est une année si terrible qu'elle peut débuter par le triomphe de la magie noire... Je suis accablé depuis ce matin où le télégramme m'arriva. »
Huysmans, avant même d'avoir des détails sur la mort de Boullan, l'attribua aux sombres menées des Rose-croix.

248

LETTRE DE JULIE THIBAULT A J.-K. HUYSMANS, 6 janvier 1893. — B.N., Ars., Ms. Lambert 30.

Boullan vient de mourir à Lyon et Julie Thibault en informe Huysmans, lui relatant en détail les derniers moments de Boullan, mort dont elle avait eu une vision prophétique.

249

LETTRE DE PASCAL MISME A J.-K. HUYSMANS, 7 janvier 1893. — B.N., Ars., Ms. Lambert 30.

Pascal Misme, fidèle adepte de Boullan, relate longuement tous les détails des derniers moments de Boullan.

DEUX OCCULTISTES RIVAUX ET ENNEMIS

Jules Bois
Mage blanc

St. de Guaita
Mage noir

N° 252

250

LE GIL BLAS. 9 janvier 1893. — B.N., Ars., Fol. Jo 559.

Dès l'annonce de la mort de Boullan, Jules Bois publia dans *Le Gil Blas* un article virulent, imputant cette mort aux attaques des Rose-croix, accusant particulièrement Stanislas de Guaita de l'avoir empoisonné par le moyen des « forces astrales ». Huysmans reprit ces accusations le lendemain, dans *Le Figaro*, convaincu que la mort de Boullan était due à un « envoûtement suprême ».

251

L'AFFAIRE DU DUEL. — B.N., Ars., Ms. Lambert 30.

a) Lettre de S. de Guaita à Huysmans, 13 janvier 1893.

b) Carte de Jules Bois à J.-K. Huysmans, janvier 1893.

c) Carte de Edouard Dubus à J.-K. Huysmans, janvier 1893.

d) Lettre de Jules Bois à Julie Thibault, 14 janvier 1893.

Poussé à bout par les attaques de Jules Bois dans *Le Gil Blas*, Stanislas de Guaita envoya ses témoins, Victor-Emile Michelet et Maurice Barrès, à Huysmans, qu'il tenait pour l'instigateur de l'article. Huysmans recommanda à ses témoins, Guiches et Orsat, de trouver un arrangement et, finalement, se dissocia des allégations de Bois. Celui-ci relata l'affaire à Julie Thibault et, s'estimant plus ingambe que Huysmans, s'affirma prêt à combattre « pour défendre la mémoire du cher défunt ».

252

JULES BOIS ET STANISLAS DE GUAITA. Photographie d'après *Le Diable au XIXe siècle*, par le Dr Bataille, Paris, 1893-1894. — B.N., Ars., Fonds P. Lambert.

Après que Huysmans eut trouvé un accommodement avec Stanislas de Guaita, c'est avec Jules Bois que finalement celui-ci croisa le fer, sans grand mal. (Cf. O. Wirth, *Stanislas de Guaita*, Paris, 1935.)

253

JOSÉPHIN PÉLADAN. Comment on devient mage. Ethique avec un portrait pittoresque. — Paris, Chamuel, 1892. In-8°. — B.N., Ars., 8° Lambert 290.

On y trouve l'opinion des Rose-croix sur Boullan et Huysmans : « Il [S. de Guaita] n'en tint compte et vint passer un certain temps dans la ville du prétendu sorcier [Boullan] et ne me confia pas son impression. Ce défroqué, restaurant les niaiseries de Vintras et de Rose Tamisier, écrivit et débita mille sottises occultes et pieuses. Il doit continuer, mis en goût par M. Huysmans, auquel j'avais fait refuser par tous les occultistes aucun renseignement sur la magie, connaissant son remarquable talent de falsificateur ».

254

LETTRE DE J.-K. HUYSMANS A JULES BOIS, 29 août 1894. — Au colonel Sickles.

« Je vous écris du fond de mon puits administratif... Je reçois hier soir une lettre de Lyon. Wirth est allé chez M. Misme... Il semble ressortir que Guaita l'aurait envoyé comme ambassadeur... Je me demande ce qu'ils mijotent ! »

Même après la mort de Boullan, Huysmans continua de s'inquiéter des menées des Rose-croix.

255

LETTRE DE HUYSMANS A JULIE THIBAULT, 18 février 1894, et PEUT-ON ENVOUTER, par Papus, Paris, 1893. — B.N., Ars., Ms. Lambert 30.

« Je viens de parcourir la brochure de Papus,... c'est comme d'habitude nul... ce qui me semble par exemple d'un goût douteux, c'est l'image qu'il donne en tête comme étant un pacte arraché à l'ex-sorcier Boullan (!!!). »

Pendant longtemps, Huysmans refusa l'évidence et continua de nier le caractère hérétique et pervers de Boullan.

256

LETTRE DE J.-K. HUYSMANS A JULES BOIS, 15 avril 1895. — Au colonel Sickles.

« Je lui ai écrit [à Julie Thibault] : qu'elle mette les archives en lieu sûr, chez Mlle Gay ou Mlle Grangeneuve et qu'elle brûle les lettres. » Et Huysmans demande à Bois, puisqu'il va à Lyon, de dire à Julie Thibault qu'il a l'intention de l'aider, à Lyon ou à Paris.

257

JULIE THIBAULT, 1888. Photo Universelle, Lyon. — B.N., Ars., Fonds P. Lambert.

Née en 1839 dans le vignoble champenois, Julie Merlette, après avoir épousé un vigneron, Charles Auguste Thibault, eut ses premières visions à 29 ans. Elle quitta son village de Venteuil et se retrouva en contact avec les adeptes de Vintras, à Epernay. Vivant de charité, elle parcourut la France à pied, de pèlerinage en pèlerinage, notant ses visions dans des carnets. En 1883, elle s'installa à Lyon, près de Boullan, et participa aux célébrations hérétiques des adeptes de Boullan, du Carmel de Jean-Baptiste. Après la mort de Boullan, elle resta auprès de Pascal Misme jusqu'à sa mort, en mars 1895. Huysmans eut alors le sentiment qu'il devait la recueillir et l'invita à venir chez lui.

258

LIVRET D'OUVRIER de Julie Merlette, femme Thibault, 1874-1883. — B.N., Ars., Fonds P. Lambert.

Délivré par la mairie de Venteuil (Marne). On y trouve de nombreuses attestations de « bonne vie et mœurs » de Julie Thibault.

259

NOTES DE J.-K. HUYSMANS sur Julie Thibault. Manuscrit autographe. — B.N., Ars., Ms. Lambert 26 (24).

Ces notes ont été prises vers le 15 septembre 1890, lors de sa première rencontre avec Julie Thibault, à Paris, dans une loge de concierge. Il devait la revoir quelques semaines plus tard, à Lyon, près de Boullan.

260

JULIE THIBAULT. Cahier. Manuscrit autographe. — B.N., Ars., Fonds P. Lambert.

N° 257

« Donné à Châlons le 24 novembre 1882 Par notre père Jean Baptiste dans le ministère d'Elie » [l'abbé Boullan], a noté Julie Thibault.
On y trouve l'exposé des doctrines vintrasiennes.

261

CAHIAIT [*sic*] DE VISIONS. 1891-1893. Manuscrit autographe de Julie Thibault. — B.N., Ars., Fonds P. Lambert.

Julie Thibault avait pour habitude de noter ses nombreuses visions, plus ou moins corrigées par Boullan : la p. 11 de ce cahier est de la main de Boullan.

262

ANNUAIRE-AGENDA pour l'année 1896, ayant appartenu à Julie Thibault. — B.N., Ars., Fonds Lambert.

Julie Thibault y a noté, pêle-mêle, aussi bien ses visions que les dépenses de la maison de Huysmans, la mort de Stanislas de Guaita, son vieil ennemi, ou l'adresse de la comtesse de Galoez. Elle y a recopié les lettres qu'elle adressait à Huysmans, en 1897.

263

CARNET DE COMPTES provenant de Julie Thibault. — B.N., Ars., Fonds P. Lambert.

Le début de ce carnet contient des comptes de la main de Pascal Misme ; il fut ensuite utilisé par Julie Thibault, en particulier chez Huysmans, en 1896 et 1897 : elle y notait les dépenses de chauffage, puis à Venteuil, jusqu'à sa mort ; elle y copiait également les lettres qu'elle envoyait, à l'abbé Mugnier, Landry, etc.

264

« LA PETITE AUTEL » de Julie Thibault. — B.N., Ars., Fonds P. Lambert.

Julie Thibault, venant de Lyon, s'installa chez Huysmans en juin 1895. Elle y apporta les archives de l'abbé Boullan et cet étrange tabernacle, sa « petite autel » selon son expression, sur lequel, tous les matins, elle célébrait sa messe : le sacrifice provictimal de Marie. Cela ne l'empêchait pas de s'occuper sérieusement du ménage de Huysmans. Cependant, quand Huysmans quitta Paris pour Ligugé, inquiet de cette ambiance hérétique, il refusa fermement de l'emmener, et elle repartit pour son village champenois. Ils ne cessèrent pas cependant de correspondre, Huysmans gardant une rude affection à sa Mme Bavoil. (Cf. P. Lambert, *Un culte hérétique à Paris,* dans *Cahiers de la Tour Saint-Jacques,* VIII, 1963.)

265

OBJETS provenant de Julie Thibault. — B.N., Ars., Fonds Lambert.

Tablier de ménage, chapelet, paroissien romain, burette, voile, pale pour les sacrifices, médailles pieuses.

266

SACRIFICE PROVICTIMAL DE MARIE. — Lyon, impr. Gallet, 1877. In-4°. — B.N., Ars., 4° Lambert 56.

Rituel selon lequel Julie Thibault célébrait ses offices.

UNE ETAPE DECISIVE

267

J.-K. HUYSMANS. Dessin de Sir William Rothenstein. 1895. — A la Société J.-K. Huysmans.

En 1895, un jeune artiste anglais en visite à Paris exécuta ce portrait de Huysmans au crayon. Ils s'étaient rencontrés dans le Grenier d'Edmond de Goncourt, ainsi que Rothenstein le rappelle dans ses mémoires.

268

LETTRE DE BOULLAN A J.-K. HUYSMANS, Lyon, 14 juin 1891. — B.N., Ars., Ms. Lambert 30.

A la fin de l'été 1890, Huysmans avait séjourné à Lyon, auprès de Boullan, et il entretint avec lui, par la suite, une correspondance serrée. Sur les conseils de Boullan, il se décida à faire un pèlerinage à La Salette, puis à passer à la Grande Chartreuse, avant de revenir à Lyon, auprès du groupe de Boullan. Si le paysage et l'architecture du sanctuaire lui déplurent, il fut cependant très impressionné. (Cf. *Là-haut*, éd. P. Cogny, Paris, 1965.)

Dans cette lettre, Boullan incite Huysmans à venir à La Salette, lui donne des nouvelles du succès de *Là-bas* à Lyon, accuse Péladan de menées infâmes et lui indique que tout le monde à Lyon prie pour lui. (Cf. P. Lambert, dans *Bulletin de la Société J.-K. Huysmans*, n° 24, 1952.)

269

J.-K. Huysmans et la Grande Chartreuse.

a) Lettre de J.-K. Huysmans à Georges Landry [26 juillet 1891]. — B.N., Ars., Ms. Lambert 21.

b) Lettre de J.-K. Huysmans à un ami [26 juillet 1891]. — Collection Thierry Bodin.

Dans ces deux lettres, Huysmans, séjournant à Lyon auprès de Boullan, décrit de la même façon sa déception devant la Grande Chartreuse : « C'est très surfait » et La Salette : « Reproduction agrandie des Vaux de Cernay ». Il s'exprima dans les mêmes termes dans une lettre à Berthe Courrière (cf. A. Du Fresnois, *Une étape de la conversion de J.-K. Huysmans*, Paris, s.d.), où il décrit également la lutte de Boullan contre les envoûtements de Péladan.

270

Lettres d'occultistes a J.-K. Huysmans. — B.N., Ars., Ms. Lambert 31.

La publication de *Là-bas* valut à Huysmans une solide réputation de sataniste et d'occultiste, même après son éclatante conversion, comme en témoignent ces lettres de Fabre des Issarts, 1902, et d'une spirite, Marie Raison du Cleuziou, 1896.

271

Notes sur la possession démoniaque d'Edouard Dubus. Manuscrit autographe de J.-K. Huysmans. — B.N., Ars., Ms. Lambert 26 (25).

Edouard Dubus, jeune poète symboliste qui fut un des fondateurs du *Mercure de France*, rencontra Huysmans en 1889, à une séance de spiritisme chez Berthe Courrière. Curieux de satanisme, il fut, à Bruges, en relations avec le chanoine Van Haecke, et se lia avec Wirth et Guaita. Convaincu d'être possédé, il devint à moitié fou, fut interné, et mourut morphinomane en 1895, après une dernière visite à Huysmans.

272

J.-K. Huysmans et Grillot de Givry.

a) Guillaume Postel. Absconditorum clavis. — Paris, Chacornac, 1899. In-8°. — B.N., Ars., 8° Lambert 527.

Le traducteur Grillot de Givry a adressé ce livre à Huysmans avec une longue dédicace en latin et dans une lettre jointe, expose ses idées sur « la vie toute de mysticité qu'il est doux infiniment d'adopter ».

b) Lettre de J.-K. Huysmans à Grillot de Givry, 1er mai 1899. — B.N., Ars., Ms. Lambert 21 (29).

« Merci de l'opuscule de Guillaume Postel... »

273

Gustave Boucher. Photographie. — B.N., Ars., Fonds P. Lambert.

Huysmans rencontra probablement Gustave Boucher vers 1890, alors que ce dernier était bouquiniste quai Voltaire et peut-être indicateur de police. L'occultisme les rapprocha et ils fréquentèrent ensemble bouges et mauvais lieux. (Cf. M. Garçon, *Huysmans inconnu.*) Converti et fixé à Ligugé où il s'occupait de la revue *Le Pays Poitevin*, il incita Huysmans à venir également s'y installer. Ils rompirent définitivement quand Boucher se maria, ce qui parut à Huysmans une forfaiture.

274

Gustave Boucher. Une séance de spiritisme chez J.-K. Huysmans. — Paris, Ficker, s.d. In-8°. — A M. H. Lefai.

Boucher relata dans cette plaquette une curieuse expérience tentée par Huysmans : celui-ci, convaincu qu'on pouvait arriver à Dieu par les « Latrines du surnaturel », rassembla chez lui, en janvier 1892, ses amis afin d'aider à leur conversion par le spiritisme. On fit tourner un guéridon et le fantôme du Général Boulanger se montra.

Quoique sceptique sur l'expérience, Boucher se convertit.

275

La magie en Poitou. Gilles de Rais. — Ligugé, impr. Saint-Martin, 1899. In-8°. — B.N., Ars., 8° Lambert 62.

Edition originale tirée à 100 ex. hors commerce. Texte de Huysmans, vraisemblablement publié à son insu, d'après la lecture faite par G. Boucher au Congrès d'ethnographie de Niort en 1896.

276

Le Paris qui s'en va. Le Chateau Rouge : Le coin réservé aux femmes. 1889. — B.N., Est., Oa 545 (2).

« Le Château Rouge est non seulement un cabaret où vient s'abreuver la haute pègre de Paris mais aussi un refuge pour les misérables... »

Vers 1890, se documentant pour un livre sur les vieux quartiers de Paris, Huysmans en compagnie de Gustave Boucher fréquentait le quartier Maubert, en particulier le très mal famé bal du Château Rouge, où il noua d'étranges relations. Il cessa d'y aller quand, après une rixe, il fut convaincu qu'on voulait l'assassiner. (Cf. M. Garçon, *Huysmans inconnu*, Paris, 1942.)

277

Journal intime de J.-K. Huysmans, juin 1898. Manuscrit autographe. — B.N., Ars., Ms. Lambert 8.

L'âme torturée, Huysmans s'interroge sur sa vie sentimentale manquée : « Mais moi ! toujours en dehors. Le mariage ? mais l'aff. Eugénie a raté, je n'y fus pour rien... Z^ka [Zdenka] venue au moment de la Trappe, mais il n'y avait rien de sérieux là ! puis c'était la non conversion alors et c'était ça impossible... C'est la solitude à jamais. Parler à qui ? Les femmes tout raté. La petite anglaise pas compris. Depuis la femme de Saint-Lazare. J'étais converti. Sol également. Non rien, rien. »

278

LETTRE DE J.-K. HUYSMANS A EDITH HUYBERS [4 juin 1888]. — B.N., Ars., Ms. Lambert 32.

« Je vous vois, vraiment amicale, chercher à faire insérer dans une revue rebelle de tempérament des dessins hasardeux et de la périlleuse prose. »

Edith Huybers représentait à Paris une revue anglaise, *The Universal review*, dirigée par Harry Quilter. C'est à ce titre qu'elle entra en relations avec Huysmans, qui, finalement, ne collabora pas à cette revue. Elle semble cependant avoir éveillé plus que de l'intérêt dans l'esprit de Huysmans, mais sans s'en être rendu compte.

Elle est probablement la « petite anglaise » du journal intime de 1898 (cf. n° 277).

279

LETTRE DE ZDENKA BRAUNEROVA A J.-K. HUYSMANS [1891]. — B.N., Ars., Ms. Lambert 32.

« Voilà que je me suis mis en tête qu'il faut que je fasse pour vous un petit calepin avec ce bout de vieille chasuble que vous avez un jour trouvé joli de ton. »

Belle-sœur d'Elémir Bourges, cette jeune peintre tchèque fréquenta les milieux artistiques et littéraires parisiens vers 1891-1895, autour des Redon, de Mallarmé, de Margueritte. Huysmans semble avoir eu pour elle une grande admiration. (Cf. J. Sandiford-Pellé, *J.-K. Huysmans, Elémir Bourges et les Sœurs Braunerova*, dans *Bull. de la Société J.-K. Huysmans*, n° 66, 1976.)

280

LETTRE DE Mme ODILON REDON A J.-K. HUYSMANS, 1er mai [1891]. — B.N., Ars., Ms. Lambert 28 (84).

Invitation à dîner chez les Redon : « Je tâcherai que le pot-au-feu soit aussi bon que ceux de la maman Carhaix et Zdenka nous confectionnerait un entremets bohême de premier ordre ». Sur papier japonais.

C'est par les Redon que Huysmans fit la connaissance de Zdenka Braunerova.

281

ZDENKA BRAUNEROVA. Photographie (Contretype). — B.N., Ars., Ms. Lambert 32.

282

LETTRE PNEUMATIQUE DE LA COMTESSE DE GALOEZ A J.-K. HUYSMANS. (9 janvier 1899.) — B.N., Ars., Ms. Lambert 30.

En 1898, Huysmans fit la connaissance de la comtesse de Galoez, « Sol », une espagnole exaltée, qui se mit à le poursuivre de ses assiduités. Elle finit par renoncer, non sans rechutes, ainsi qu'en témoigne cette lettre, où, quoique lui affirmant : « je vous aime déjà un tout petit peu moins », elle lui annonce sa visite.

Dans une lettre à Mme Cécile Bruyère, du 30 juillet 1899, Huysmans se plaint de cette intrusion : « La satanique espagnole parvint à se glisser chez moi... Finalement je l'ai mise dehors. Détail particulier, elle était allée avant à Bruges pour demander aide à un affreux prêtre démoniaque que j'ai peint dans *Là-bas*. »

vies d'oiseaux, mais dans l'ennui rien de rien! Ah! la foi m'y poursuivra!
à ce point de vue, cette scène sera lamentable — Si Dieu ne s'en mêle pas
je resterai atteint en plein flanc. Je prêcherai, je rabâche — mais
surtout ce que je m'ennuie, ce que je m'ennuie. Je n'ai plus de goût
ni pour le monde ni pour le cloître — pour rien — je vois en face ce couple
ouvrier, jeune, bien portant et je les envie. Ils sont d'la noce, dans la
vie — mariés et gais.

chez moi! toujours au dehors — le mariage? mais si l'aff. Eugénie a
raté, je n'y fus pour rien — Vie en dehors de la littérature admise,
reniée c'naturaliste — Q'Ka venue au moment de la brasse — mais
il n'y avait rien de sérieux là! puis c'était la non conversion alors
et c'était çà impossible — Suis converti — hors de toute littérature
même naturaliste et plus hors encore des catholiques. C'est la solitude
à jamais — Parler à qui? les femmes tout raté, la petite anglaise
pas comprise — depuis = la fin de St Foy — j'étais converti — foi également
non, non, rien.. — Si je ne vais pas au cloître, j'aurai tout raté: vie
de garçon, sans femme — mariage — couvent —

L'écriture implacable de la foi! — la voilà qui revient encore à
la charge. Ah! ce que le démon la tient pour m'attaquer moi!

La vilenie de nos prières, la honte de ces églises où l'on toujours
pour demander et jamais pour rendre! n'y aller jamais, désintéressé,
par amour. C'est assez.

à N. D. — au lieu d'un jet d'eau, la voix de l'enfant, une goutte
des feux-follets d'idées, glu de marécage — foi — quelque chose de
lourd et de chaud et de pesant sur nous.

283

L'affaire de Marseille. 1902-1903.

a) Lettre de J.-K. Huysmans à Léon Leclaire, 18 juillet 1902. — B.N., Mss., n. a. fr. 12426, fol. 323-325.

b) Brouillon de 3 lettres de Huysmans à Mlle Duclos et à son père et lettres d'Eulalie Duclos à J.-K. Huysmans. — B.N., Ars., Ms. Lambert 88.

Cet épisode extravagant de la vie de Huysmans montre combien l'attiraient encore le mystère et l'occultisme.

Un certain Dr Rodaglia, thaumaturge marseillais, parvint à faire venir Huysmans à Marseille sous prétexte d'en faire son héritier. Il prétendait en plus que Huysmans descendait de Louis XVI par sa famille de Bréda, ville où séjourna Naundorff. S'y mêla aussi un projet de mariage avec Eulalie Duclos, pauvre fille sous la coupe de Rodaglia. Epouvanté par toutes ces folies, mais s'estimant protégé par ses médailles de saint Benoît, Huysmans reprit le train aussitôt pour Paris. (Cf. M. Garçon, *Le Mariage manqué de Huysmans*, dans *Revue de Paris*, décembre 1952.)

284

Eugène Delâtre. Portrait de Huysmans, 1897. Eau-forte en couleurs. — Archives de l'Académie Goncourt, en dépôt à la Bibliothèque de l'Arsenal.

Comme celui, beaucoup plus petit, que grava Delâtre pour le frontispice de *La Cathédrale*, ce portrait montre l'écrivain dans son décor familier, 11, rue de Sèvres.

LA BIEVRE

285

Les habitués de café. Dans *Les Types de Paris*, n° 10, pp. 145-146. — Paris, Plon, s.d. In-4°. — B.N., Ars., 4° Lambert 59.

Dans une lettre à Lucien Descaves, du 20 mai 1891 (B.N., Ars., Ms. Lambert 21/17), Huysmans mentionne la disparition du Café Caron dont il était un habitué : « Nous avions pris rendez-vous au Café Caron samedi. Il est mort : faillite ».

C'est ce café, situé au coin de la rue des Saints-Pères et de la rue de l'Université, qui est décrit dans ce texte, illustré par Raffaëlli, plus tard repris dans *De tout*.

286

Le café Procope.

a) Lettre de J.-K. Huysmans à Théo Bellefonds, 1893. — B.N., Ars., Ms. Lambert 21 (4).

b) *Le Procope*. Journal parlé. N° 1, 30 octobre 1893. — B.N., Ars., Fol. Jo 924 R.

La lettre de Huysmans, félicitant Théo Bellefonds pour la réouverture du café Procope, a été imprimée dans le numéro 1 du journal *Le Procope*, accompagnant un dessin de Grigny représentant Bellefonds s'entretenant avec un habitué.

C'est au Procope que s'étaient tenus les « Dîners du bœuf nature », auxquels prenaient part Zola et les jeunes naturalistes, parmi lesquels se trouvait alors Huysmans.

287

A LA PETITE CHAISE. Carte postale. — B.N., Ars., Fonds P. Lambert.

Ce vieux restaurant de la rue de Grenelle était l'un des très rares endroits que Huysmans jugeait à peu près fréquentables.

On connaît par les descriptions d'*A vau l'eau* son opinion sur les affres du célibataire condamné à la cuisine des gargotes.

288

LES VIEUX QUARTIERS DE PARIS. LA BIÈVRE. Avec vingt-trois dessins et un autographe de l'auteur. — Paris, Genonceaux, 1890. In-8°. — B.N., Ars., 8° Lambert 16.

Première édition française, avec les dessins dans le texte. Exemplaire dédicacé à Célestin Douly.

Peu satisfait, Huysmans écrivit à Arij Prins (24 juillet 1890) : « Si vous avez reçu *La Bièvre*, arrachez l'aquarelle abjecte du commencement. Quel cul que cet éditeur ! il n'y a pas eu moyen de le décider à ne pas mettre cette ordure dans le livre. » On y a joint une eau-forte de A. Varin et une de F. Cardet.

289

HUYSMANS SUR LES BORDS DE LA BIÈVRE. Photographie de Michel de Lézinier. — B.N., Ars., Fonds P. Lambert.

« Huysmans n'aimait pas à se laisser photographier, mais je fus enchanté de le saisir à son insu pendant qu'il s'appuyait sur l'une des barres de fer emmanchées dans des poteaux de bois mort. » (M. de Lézinier, *Avec Huysmans*, Paris, 1928, p. 133.) Michel de Lézinier avait plusieurs fois accompagné Huysmans dans ses promenades sur les bords de la Bièvre.

N° 289

290

LA BIÈVRE. Photographies de Michel de Lézinier. — B.N., Ars., Fonds P. Lambert.

Ces photographies portent au dos des indications de Michel de Lézinier qui les avait envoyées à Huysmans.

291

LA BIÈVRE ET LES GOBELINS. Vers 1896. 6 photographies Emile Bernard. — B.N., Ars., Fonds P. Lambert.

292

LA BIÈVRE. Rue Edmond-Goudinet (vers 1900). Photographie Atget. — B.N., Ars., Fonds P. Lambert.

293

LISTES DES SERVICES DE PRESSE POUR *La Bièvre*, 1890. Manuscrit autographe. — B.N., Ars., Ms. Lambert 26 (19).

On y remarque Boullan, Misme, Mme Courrière.

294

LETTRE DE J.-K. HUYSMANS A EMILE ZOLA, 12 novembre 1885. — B.N., Ars., n. a. fr. 24520, fol. 364.

« Je me suis engagé pour une Revue [*La Revue illustrée*], à un travail dont je ne sors pas. L'autour des remparts de Paris... J'ai déjà pondu près de 1 400 lignes là-dessus et j'en ai autant à faire !... Et cela compliqué d'un dessinateur nigaud que je traîne à ma suite pour relever les plans. »

Ces articles furent publiés, illustrés par Lepère, dans *La Revue illustrée*, des 1ᵉʳ et 15 janvier 1886.

295

AUTOUR DES FORTIFICATIONS. Extrait de *La Revue illustrée*, 1ᵉʳ et 15 janvier 1886. In-fol. — B.N., Ars., Fol. Lambert 1.

Exemplaire de Lucien Descaves. Cet article est illustré par Auguste Lepère.

296

AUGUSTE LEPÈRE. La Bièvre près des Gobelins. Crayon noir et aquarelle, 25 × 17 cm. — Nantes, Musée des beaux-arts.

297

AUGUSTE LEPÈRE. Le Quartier des Gobelins, 1893. Eau-forte. — B.N., Est., Ef 423, t. IV.

Une vision d'un quartier de Paris, où la sensibilité de l'artiste et de l'écrivain se rejoignent parfaitement.

298

AUGUSTE LEPÈRE. Saint-Séverin. Crayon noir et aquarelle, 22 × 29 cm. — Nantes, Musée des beaux-arts.

299

AUGUSTE LEPÈRE. Les Toits de Saint-Séverin, 1889. Eau-forte. — B.N., Est., Ef 423, t. I.

Lepère, graveur à l'eau-forte et sur bois, fut un ami de Huysmans et un de ses principaux illustrateurs. Cette planche, d'une composition assez originale, rend bien l'atmosphère d'un quartier que Huysmans aima décrire et de l'église où il fut baptisé et à laquelle il resta particulièrement attaché.

300

Auguste Lepère. Bois avant lettre pour illustrer *La Bièvre et Saint-Séverin*, 1901. — B.N., Est., Ef 423 c, t. I.

N° 300 B

N° 300 A

301

Le Quartier Notre-Dame. Illustrations et gravures de Ch. Jouas. — Paris, Romagnol, 1905. In-8°. — B.N., Ars., Rés. 8° Z. 18070.

Première édition séparée de ce texte paru dans *De tout*, 1902.

91

VI

LE CONVERTI
(1892-1899)

Après la publication de *Là-bas*, Huysmans veut sortir de la « mystique noire » pour aborder la « mystique blanche ». Il commence à fréquenter les églises parisiennes et lit assidûment les grands auteurs spirituels, nombreux sur les rayons de sa bibliothèque. Sa volonté de conversion se précise après sa rencontre avec l'abbé Mugnier, à Saint-Thomas d'Aquin, le 28 mai 1891, qui lui conseille de faire une retraite et le dirige vers la Trappe.

Le pas décisif est fait en juillet 1892, à Notre-Dame d'Igny : le choc est brutal, mais dissipe les scrupules d'une âme inquiète et torturée, à la recherche du divin. Le récit de la « conversion » devient le thème central d'*En route*, publié en 1895, l'un de ses livres qui eut les plus forts tirages et qui souleva des réactions très diverses. Une première version, dont le manuscrit se trouve aux Etats-Unis, mais qui a été édité par P. Lambert, et qui devait paraître sous le titre *Là-haut*, relate le voyage que Huysmans fit en compagnie de Boullan et de Misme à La Salette après sa rencontre avec l'abbé Mugnier, en juillet 1891 ; le projet fut abandonné pour l'ouvrage définitif, mais il est révélateur de l'influence exercée par La Salette.

Entraîné chez les bénédictins de Saint-Wandrille en 1894, par son ami G. Boucher, il découvre un monde nouveau et y noue de précieuses amitiés ; il se lie particulièrement avec Dom Besse, mais les projets de celui-ci ayant échoué, le moine est envoyé en Espagne, à Silos. En 1896, il séjourne à Solesmes, où l'abbé Dom Delatte l'entretient de la vie du cloître ; mais la figure la plus étonnante pour lui demeure celle de l'abbesse de Sainte-Cécile, Madame Bruyère, qui sait lui montrer les risques de la vie monastique pour un écrivain tel que lui et l'incite à rester dans le monde ; leur correspondance, à peu près entièrement conservée, relate toutes les étapes de cette période décisive dans la vie de Huysmans.

Passionné par la symbolique, il a déjà commencé à édifier sa « cathédrale » dont la publication, en 1898, fait scandale dans certains milieux politiques et divise le monde catholique. Huysmans doit prendre sa retraite de fonctionnaire et, toujours à l'invitation de G. Boucher, il vient en Poitou et décide de s'établir définitivement à Ligugé, dans l'été de 1899. L'année précédente, il avait été très éprouvé par la maladie et la mort de son premier confesseur, un sulpicien, l'abbé Ferret, confident et ami qui avait su le comprendre et le guider avec délicatesse. Ligugé lui semblait l'étape définitive où, loin de Paris, à l'ombre du cloître, il trouverait enfin la paix.

R.R.

HUYSMANS A LA TRAPPE

302

LA CHAPELLE DE LA RUE DE L'EBRE. Epreuve d'après un cliché de 1894. — B.N., Ars., Ms. Lambert 38.

Dans l'hiver 1890-1891, Huysmans et G. Landry découvrirent, au cours de leurs promenades parisiennes, une chapelle dans le quartier de la Glacière ; les Franciscaines Missionnaires de Marie s'y étaient installées en 1886 (cf. *En route*, chap. IV).

303

LES VIES DES SAINTS POUR CHAQUE JOUR DE L'ANNÉE, tirées des auteurs originaux... [par Laurent Blondel]. — Paris, G. Desprez, 1722. In-fol. — B.N., Ars., Fol. Lambert 4.

Ex-libris et signature autographe de J.-K. Huysmans. Des notes prises sur l'ouvrage se trouvent également dans la collection P. Lambert. Le volume est placé sur un guéridon dans l'appartement de la rue de Sèvres, en 1896, sur l'une des photographies de Dornac (« Les Contemporains chez eux »).

304

J.-K. HUYSMANS. Notes autographes. Juillet 1894. — B.N., Ars., Ms. Lambert 26 (26).

Notes prises pendant son séjour à Saint-Wandrille. On notera l'adresse du livre de Mme Cécile Bruyère, communiqué par Dom Besse.

305

L'ABBÉ ARTHUR MUGNIER. Dessin de Marie Scheikevitch. — B.N., Ars., Ms. Lambert 36 (2).

L'abbé Mugnier (1853-1944) était vicaire à Saint-Thomas d'Aquin quand Berthe Courrière lui présenta Huysmans, le 28 mai 1891. S'il ne fut pas le confesseur de l'écrivain, c'est lui qui le dirigea vers la Trappe d'Igny pour y faire une retraite. Une plaque commémorative a été posée le 28 mai 1951 dans la sacristie de Saint-Thomas d'Aquin en souvenir de la rencontre. (Cf. *Bulletin de la Société J.-K. Huysmans*, n° hors série, 1952.) Nommé ensuite premier vicaire à Sainte-Clotilde, il continua à fréquenter le monde des lettres, mais contrairement à ce que pensait Huysmans, il ne fut pas élevé à l'épiscopat.

L'auteur du dessin, Marie Scheikevitch, d'origine russe, venue en France avec ses parents, épousa le fils du peintre Carolus Duran. Elle rencontra l'abbé Mugnier dans les milieux mondains et en exécuta le portrait, reproduit dans ses *Souvenirs d'un temps disparu*, 1935.

N° 305

306

VIE ET ŒUVRES SPIRITUELLES DE... SAINT JEAN DE LA CROIX... Traduction nouvelle faite sur l'édition de Séville de 1702, publiée par les soins des Carmélites de Paris. Préface par le T.R. Père Chocarne... 2ᵈᵉ édition. — Paris, Oudin, 1890, 4 vol. In-8°. — B.N., Ars., 8° Lambert 452.

Exemplaire ayant appartenu à J.-K. Huysmans. Provient de la bibliothèque léguée à l'abbé Daniel Fontaine ; figure, ainsi que les deux ouvrages suivants, sur une liste conservée dans les archives de la Société des prêtres du Cœur de Jésus, communiquée par l'abbé François Morlot et publiée paur Paul-Courant dans le *Bulletin de la Société J.-K. Huysmans*, n° 67, 1977. Nombreux passages soulignés par Huysmans et signets placés par lui.

307

LE PRÉCIEUX SANG OU LE PRIX DE NOTRE SALUT, par le R.P. F.W. Faber... 8ᵉ édition. — Paris, Retaux-Bray, 1886. In-18. — B.N., Ars., 8° Lambert 398.

Exemplaire ayant appartenu à J.-K. Huysmans.

308

ŒUVRES DE SAINTE THÉRÈSE, traduites d'après les manuscrits originaux, par le P. Marcel Bouix... 13ᵉ édition. — Paris, V. Lecoffre, 1884-1885. 3 vol. In-8°. — B.N., Ars., 8° Lambert 560.

Ex-libris de J.-K. Huysmans.

309

ABBAYE D'IGNY de l'Ordre des Cisterciens réformés de Notre-Dame de la Trappe. — Abbaye d'Igny (Marne), 1895. In-8°. — B.N., Ars., 8° Lambert 488.

Exemplaire ayant appartenu à J.-K. Huysmans. Plaquette contenant une notice historique sur les Trappistes, une brève histoire du monastère et un exposé sur le « genre de vie » des religieux. J.-K. Huysmans possédait également dans sa bibliothèque l'ouvrage de l'abbé Péchenard, *Histoire de l'abbaye d'Igny*, Reims, 1883 [8° Lambert 515].

310

RENÉ DUMESNIL. La Trappe d'Igny, retraite de J.-K. Huysmans. Bois de P.-A. Bouroux. — Paris, Editions A. Morancé, 1922. In-4°. — A M. H. Lefai.

Dédicace de P.-A. Bouroux à H. Lefai. Le graveur P.-A. Bouroux (1878-1967) fut aussi l'illustrateur de *L'Oblat*.

311

NOTRE-DAME D'IGNY. D'après les clichés d'Emile Nugues. — B.N., Ars., Ms. Lambert 38.

a) Plan de l'abbaye.
b) Le monastère. Vue générale.
c) Le grand étang.
d) La chapelle en rotonde.
e) L'autel de la Vierge.
f) La cellule de Huysmans à Igny.

Photographies prises par Emile Nugues en août 1903 ; dans une lettre de remerciement (15 août 1903), Huysmans écrit : « celle de la cellule m'a laissé, je vous prie de le croire, rêveur » [Ms. Lambert 21].

Emile Nugues (1870-1963), qui avait rencontré Huysmans en mars 1902 et avait été son voisin rue Saint-Placide, a laissé d'intéressants souvenirs sur les dernières années de l'écrivain. (Cf. *Bulletin de la Société J.-K. Huysmans*, nᵒˢ 29, 1955 et 33, 1957.)

312

DOM AUGUSTIN MARRE. Photographie. — B.N., Ars., Ms. Lambert 38.

Dom Augustin Marre (1853-1927), qui était abbé de Notre-Dame d'Igny (le « Dom Anselme » d'*En route*), devint évêque titulaire de Constance et fut élu en 1904 abbé général des Trappistes, charge dont il démissionna en 1922. (Cf. notice biographique par Dom Jacques Lahache, *Bulletin de la Société J.-K. Huysmans*, n° 35, 1958.) C'est de sa main que Huysmans communia pendant son séjour à Igny.

313

QUELQUES MOINES DE NOTRE-DAME D'IGNY. Photographie. 1908 (?). — B.N., Ars., Ms. Lambert 38.

Au centre, le P. Bernard [François-Henri Oudart, 1845-1928], le « P. Maximin » d'*En route* ; à sa gauche, le P. Léon, hôtelier [Léon Regnault, 1859-1927], le « P. Etienne » dans l'ouvrage ; à droite, le P. Robert, mort en 1952 chez les Trappistines d'Igny.

97

314

CHARLES RIVIÈRE. Photographie. — B.N., Ars., Ms. Lambert 38.

L'oblat d'*En route*, « Monsieur Bruno », qui s'appelait Charles Rivière (1832 1912), vécut à l'hôtellerie du monastère de 1890 à 1910.

315

J.-K. HUYSMANS. Journal intime, 19-25 juillet 1892. 7 ff. — B.N., Ars., Ms. Lambert 9.

Notes prises au cours de son premier séjour à la Trappe. Il était de retour à Paris le 20 juillet et partit pour Lyon le 25. Le 13 août, il ajouta une note « un mois juste après la première confession ». (Publié par P. Lambert dans *Le Figaro littéraire*, 11 mai 1957.)

316

LA-HAUT ou NOTRE-DAME DE LA SALETTE. Texte inédit établi par Pierre Cogny, avec une introduction par Artine Artinian et P. Cogny et des notes de Pierre Lambert, suivi du Journal d'« En Route », établi par P. Lambert d'après des documents inédits. — Paris, Casterman, 1965. In-8°. — B.N., Ars., 8° Lambert 71.

Première version d'*En route*, considérée comme perdue, ce manuscrit sauvé par Jean de Caldain qui avait eu l'ordre de le détruire, fut retrouvé à Paris par A. Artinian ; seul le premier chapitre manque. Il relate le voyage de Huysmans à La Salette en compagnie de Boullan et de l'architecte Misme, dans la seconde quinzaine de juillet 1891. En mai 1893, l'auteur déclarait à Arij Prins qu'il recommençait son travail « sur d'autres bases ». Les passages repris dans *En route* et *La Cathédrale* sont indiqués en italiques.

317

EN ROUTE. Manuscrit autographe. Première version inachevée : 172 ff. Version définitive : 320 ff. — B.N., Mss., n. a. fr. 15381-15382.

L'intérêt de ces deux manuscrits, écrits en grande partie sur des feuilles à en-tête du Ministère de l'Intérieur, a été dégagé par Marcel Thomas dans son article « Une toute première version d'*En route* » (*Humanisme actif*. Mélanges d'art et de littérature offerts à Julien Cain, I, Paris, 1968, pp. 247-257). Le second ne présente guère de variantes par rapport à l'état définitif d'*En route*. La version inachevée est précédée d'une « épître dédicatoire » : « A Madame T.H. », dont l'identité n'a pu encore être découverte, « Mme T.H. » ne pouvant être ni Mme Huc, ni J. Thibault.

318

EN ROUTE. — Paris, Tresse et Stock, 1895. In-8°. — B.N., Ars., 8° Lambert 53.

Dédicace autographe à Mme Lucien Descaves. — Ex-libris de Lucien Descaves.

319

PRÉFACE pour la 15e édition d'*En route*. In-8°. — B.N., Ars., 8° Lambert 54.

Tirage limité à quelques exemplaires, sur papier ordinaire et hors commerce, couverture muette. Août 1896.

Mardi 8 huit - Déjeuner: omelette à l'huile froide, pommes de terre avec un peu de poireau, chaudes, à l'huile - du riz dont je ne prends pas, j'en ai assez - et du fromage et du miel

Las, gorgé de prières - ayant communié, ce matin; j'eus un besoin absolu de repos. Je fortifiai au du jardin ou la cellule. J'irais essayer tout à l'heure, quand les gens de Reims seront partis, d'aller lire un peu de Foligno, près de l'étang. (impossible de lire)

Je ne veux plus prier qu'à 7 h. aux Vêpres, sans quoi je finis par ne plus savoir ce que je dis.

Le temps s'éclaircit; par extraordinaire on voit un peu de soleil. Je rentre avec une bourrasque de pluie. Toujours la même chose

Je ne me tarande plus, ni ne me trifile *ni ne me sape, ni ne me mine*. J'ai l'âme endolorie et indolente; las de ces combats elle se repose. C'est une sieste - La communion m'a apporté un repos, une détente.

Comme une bête en cage, je commence à me frotter à mes barreaux. Je fais le tour de la propriété, le long des murs, je marche furieusement - tantôt on peut frôler les murs, tantôt ils ont devant eux des halliers et des arbres.

Je donne du pain au cygne - qui vient vers moi;

320

Lettre de Charles Buet a J.-K. Huysmans, 23 février 1895. — B.N., Ars., Ms. Lambert 35.

Après la publication d'*En route*, l'article de Ch. Buet a paru dans *Le Gil Blas* du 24 février : « *A rebours* et *Là-bas* sont des coffrets d'acier cloutés de diamants, qui renferment de redoutables secrets ; *En route* nous donnera peut-être la clef de ces forteresses en miniature... » (Sur C. Buet, cf. n° 222.)

321

Carte de Dom Augustin Marre a J.-K. Huysmans, 9 août [1896]. — B.N., Ars., Ms. Lambert 38.

Remerciement pour la nouvelle préface d'*En route* ; il viendra le lendemain chez Huysmans lui conseiller de changer deux ou trois mots dans le texte de cette préface.

322

L'abbé Gabriel-Eugène Ferret. Photographie Pierre Petit. — B.N., Ars., Ms. Lambert 37 (11).

Rencontré au hasard d'un confessionnal, à Saint-Sulpice, l'abbé Gabriel Ferret (1853-1897) devint le confesseur de Huysmans après son retour de la Trappe. Prêtre du diocèse d'Autun, sulpicien, vicaire à la paroisse, il avait remarqué les fréquentes visites de l'écrivain à l'église. Leur amitié fut profonde ; en 1897, quand Huysmans sut que l'abbé Ferret était gravement malade, il sollicita des prières auprès de tous les monastères amis. Les lettres retrouvées de Huysmans à l'abbé Ferret (de septembre 1893 à septembre 1897) ont été publiées par l'abbé J. Daoust et par Mme E. Bourget-Besnier, mais elles sont très discrètes quant à leurs entretiens. Après la mort de l'abbé Ferret, Huysmans s'adressa à un autre sulpicien, l'abbé Bouyer, lui aussi vicaire à Saint-Sulpice.

UNE ABBESSE BENEDICTINE

323

Lettre de Dom J.-M. Besse et Dom F. Chamard a J.-K. Huysmans, Saint-Wandrille, 22 juillet 1894. — B.N., Ars., 8° Lambert 357.

En 1894, Huysmans eut ses premiers contacts avec la vie bénédictine. Présenté à Dom J.-M. Besse par son ami Gustave Boucher, qui l'avait connu pendant une retraite à l'abbaye de Ligugé, le moine l'invita à venir à Saint-Wandrille, monastère qu'il avait été chargé de restaurer. Huysmans vint pour la première fois au début de juillet, séduit par les projets de Dom Besse qui voulait faire de la fondation un centre pour les écrivains et les artistes. Après son départ, les deux religieux écrivirent à Huysmans : « Le bonheur dont vous jouissiez ici frappait tout le monde... » (Dom Besse) — « Vivez de Saint-Wandrille, cher ami, et tout en habitant corporellement la Babylone moderne, vous vivrez spirituellement avec les moines vos frères et vos amis » (Dom Chamard). Le document est joint à l'ouvrage *Saint Martin et son monastère de Ligugé*, par Dom F. Chamard (Poitiers, 1873). L'expérience échoua et Dom Besse fut envoyé à Silos, fondation des moines de Ligugé après 1880. — L'abbé Joseph Daoust a évoqué les séjours de Huysmans en Normandie et son amitié avec plusieurs moines de Saint-Wandrille, Dom G. Guerry, Dom E. Micheau, et aussi Dom J.-M. Besse, dans son livre, *Les Débuts bénédictins de J.-K. Huysmans. Documents inédits...*, St-Wandrille, Editions de Fontenelle, 1950.

324

DOM JEAN-MARTIAL BESSE. Photographie, vers 1910. — B.N., Ars., Ms. Lambert 39.

Dom J.-M. Besse (1861-1920), historien, conférencier, journaliste, manifesta pendant toute sa vie une grande activité. Huysmans le retrouva pendant ses années ligugéennes ; il était alors maître des novices.

325

LETTRE DE DOM J.-M. BESSE A J.-K. HUYSMANS, Silos, 28 février 1895. — B.N., Ars., Ms. Lambert 39.

Dom Besse, qui est exilé à Silos depuis quelques mois, communique à Huysmans ses premières impressions après la lecture d'*En route* : « Plus d'un Durtal vous lira. Puissent ces pages être pour eux ce que les Confessions de St Augustin ont été pour tant d'autres... »

326

L'ABBAYE SAINT-PIERRE DE SOLESMES. Photographies, 1896-1897. — Archives photographiques de l'Abbaye Saint-Pierre de Solesmes.

a) Plan de Solesmes, vers 1860.

b) Le nouveau chœur à la fin du XIXe siècle.

c) Le « scriptorium » et le nouveau bâtiment en construction.

d) Façade sur la Sarthe.

J.-K. Huysmans n'a pas connu la tour figurant sur le plan et où avaient logé les hôtes depuis le retour des religieux en 1833. Les travaux pour la construction d'un nouveau bâtiment sur la Sarthe, à côté du prieuré mauriste du XVIIIe siècle, avaient entraîné la démolition de la tour et de divers bâtiments. Ils furent confiés à un ancien architecte, moine de Solesmes, Dom Jules Mellet (1846-1917). La première pierre fut posée par Dom Delatte le 21 mars 1896, huit mois avant le premier séjour de Huysmans. L'écrivain, qui n'avait pu se rendre à Solesmes en octobre 1895, fut sans doute sollicité de venir dans l'été de l'année suivante, mais il ne réussit pas à répondre à l'invitation de Dom Delatte avant octobre 1896.

327

DOM PAUL DELATTE, abbé de Saint-Pierre de Solesmes. Photographie, vers 1895. — Archives photographiques de l'Abbaye Saint-Pierre de Solesmes.

Professeur à la Faculté de théologie catholique de Lille, Dom P. Delatte (1848-1936) entra à Solesmes en 1883 ; prieur dès 1888, élu abbé de Solesmes et supérieur général de la Congrégation en 1890, il démissionna en 1922, avant le retour des moines, réfugiés depuis 1901 à Appuldurcombe-Quarr (île de Wight), à Solesmes.

328

DE L'ORAISON D'APRÈS LA SAINTE ECRITURE et la tradition monastique. — Solesmes, typ. de l'Abbaye de Sainte-Cécile, M.D.CCC.LXXXVI. Communication essentiellement privée. — Bibliothèque de l'Abbaye Saint-Pierre de Solesmes.

Pendant son séjour à St-Wandrille, Huysmans eut connaissance, grâce à Dom Besse, du traité sur la prière, où Mme Cécile Bruyère a recueilli la pensée du restaurateur de la vie monastique. « Il appartenait à celle qui a été entre tous l'héritière de son esprit... d'interpréter et de fixer les enseignements de notre Père Dom Guéranger », écrit Dom

Ch. Couturier dans la préface, datée du 19 mai 1888. L'édition définitive, portant le nom de l'abbesse, avec le titre *La Vie spirituelle et l'oraison d'après la Sainte Ecriture et la tradition monastique*, a eu de nombreux lecteurs.

329

MADAME CÉCILE BRUYÈRE, abbesse de Sainte-Cécile de Solesmes. Photographie, vers 1890. — Archives de l'Abbaye Saint-Pierre de Solesmes.

Mme Cécile Bruyère (1845-1909), la première professe de Sainte-Cécile, fut élevée dès 1870 à la dignité abbatiale ; la cérémonie de sa bénédiction fut reculée jusqu'en juillet 1871, en raison de la guerre franco-allemande. La sœur d'A. de Gobineau, Mère Bénédicte, l'une des plus anciennes professes, en a donné le récit dans une lettre à son frère, publiée dans les *Etudes gobiniennes*, 1972, pp. 105-107. J.-K. Huysmans témoigna toujours vis-à-vis de l'abbesse de sentiments d'admiration et de respect dont leur correspondance apporte maints témoignages.

N° 326

330

Lettre de J.-K. Huysmans a Dom Thomasson de Gournay, Paris, 20 octobre 1896. — B.N., Mss., n. a. fr. 14317, fol. 14-15.

Huysmans fait part à Dom Thomasson, qui était probablement de retour de Bordeaux à Saint-Maur-de-Glanfeuil, des impressions de son premier séjour à Solesmes ; il est encore dans l'enthousiasme, conquis par le chant des moines et surtout par celui des bénédictines de Sainte-Cécile.

331

Lettre de Mme Cécile Bruyère a J.-K. Huysmans, Saint-Michel-de-Kergonan, 7 sept. 1898. — B.N., Ars., Ms. Lambert 36.

L'abbesse de Sainte-Cécile se trouvait alors en Bretagne, où elle venait de fonder le monastère de Kergonan. Cette lettre, une des plus longues qu'elle ait adressées à Huysmans, lui montrait les écueils possibles de la vie religieuse : « On ne peut être religieux et surtout moine à demi... » ; l'abbesse y montre une connaissance profonde des milieux monastiques. (Sur les relations entre Huysmans et l'abbesse, cf. *Correspondance de J.-K. Huysmans et de Mme Cécile Bruyère*, publiée et annotée par René Rancœur, Paris, Editions du Cèdre, 1950.)

LA CATHEDRALE

332

Lettre de J.-K. Huysmans a Dom Thomasson de Gournay, Paris, 1er janvier 1896. — B.N., Mss., n. a. fr. 14317, fol. 7-8.

Les premières allusions à *La Cathédrale* apparaissent dans la correspondance de l'été 1895. « Je rentre pour me replonger dans un énorme travail pour lequel j'ai déjà entassé bien des matériaux. Je voudrais compléter *En route* par une étude sur la peinture religieuse et les cathédrales — faire les Primitifs et donner toute la symbolique des couleurs — ainsi que toute la symbolique des pierres. » (A Dom Besse, 18 juillet 1895.) Deux années lui seront nécessaires pour achever sa « cathédrale » et il ne manquera pas de recourir à l'aide de ses amis bénédictins. Dans la lettre à Dom Thomasson, il évoque son séjour à Chartres pour la fête de Noël : « J'ai assisté au lever du soleil dans cette cathédrale, effilée, sans chair, en pierres mystiques — une vraie sainte — blonde avec ses yeux de saphir, dans les vitraux ». Dom Thomasson de Gournay (1862-1928), moine de Solesmes, fit plus tard une tentative à la Chartreuse de Parkminster, séjourna à Cogullada vers 1908-1910 et ne revint à Solesmes qu'après la démission de Dom Delatte.

333

Lettre de J.-K. Huysmans a Dom Thomasson de Gournay, Paris, 27 janvier 1897. — B.N., Mss., n. a. fr. 14317, fol. 18-19.

Huysmans, plongé dans l'étude de la symbolique, remercie Dom Thomasson pour les renseignements qu'il lui a envoyés à propos de certaines plantes et esquisse le plan de son chapitre de *La Cathédrale* sur la flore symbolique. « Ne serait-il pas admissible de faire suivre la liturgie des offices par celle des plantes, de les faire marcher de front, de parer les autels de bouquets différents suivant les jours, suivant les fêtes ?... »

334

LA CATHÉDRALE. Manuscrit autographe. 405 ff. — B.N., Mss., n. a. fr. 12425.

Manuscrit de travail, sur papier à en-tête du Ministère de l'Intérieur.

335

LA CATHÉDRALE. Edition pré-originale du premier chapitre. Extrait du *Correspondant*, 10 février 1898. — B.N., Ars., 8° Lambert 21.

Relevé des variantes, par « M. Godefroy », d'après une note autographe de P. Lambert.
La collaboration de Huysmans à la grande revue des catholiques libéraux peut étonner, car il n'éprouvait aucune sympathie pour les écrivains de l'école catholique libérale. Ni Mme Swetchine, ni Mme Craven, ni même Montalembert ne trouvaient grâce à ses yeux. De cette condamnation générale, étendue aux évêques et aux prédicateurs, il n'exceptait que le P. Lacordaire et le comte de Falloux qui, selon lui, avait rendu au style « épiscopal » une « mâle vigueur ». (Cf. *A rebours*, chap. XII.)
Le compte rendu de l'abbé Mugnier dans *Le Correspondant*, 10 mars 1898, est joint à cet exemplaire.

336

LA CATHÉDRALE. Epreuves corrigées. — Au colonel Sickles.

Secondes épreuves complètes, avec de nombreuses corrections manuscrites ; épreuves corrigées des pp. 40-61, 99-109, 110-134.

337

LA CATHÉDRALE. — Paris, Stock, 1898. In-18. — B.N., Impr., Rés. 8° Z. Don 595 (58).

Exemplaire sur papier de Hollande comportant un portrait de Huysmans à l'eau-forte par Eugène Delâtre et un frontispice en couleur de Pierre Roche sur parchemin églomisé, technique inventée par cet artiste.

338

LA CATHÉDRALE. [6ᵉ éd.] — Paris, P.-V. Stock, 1898. In-18. — B.N., Ars., 8° Lambert 19.

Exemplaire avec dédicace autographe « A Mme Thybaut » [*sic*]. La volume était conservé par la petite-nièce de Julie Thibault, à Mardeuil (Marne), avant d'entrer dans la collection P. Lambert, avec les papiers Boullan.

339

LA CATHÉDRALE DE CHARTRES. Photographie. — B.N., Ars., Fonds P. Lambert.

« La Cathédrale » par excellence, celle qui constitue le personnage central du livre qui porte ce titre.

340

LETTRE DE J.-K. HUYSMANS A DOM DELATTE. Paris, 1ᵉʳ février 1898. — Archives de l'Abbaye Saint-Pierre de Solesmes.

4

MINISTÈRE DE L'INTÉRIEUR

DIRECTION

ᵉ BUREAU.

Paris, le

189

il pouvait, en toute sécurité, lui dire : Seigneur, j'ai aimé la beauté de votre maison et le lieu où habite votre gloire ; Dieu, ne me faites pas périr avec les impies .. c'était la seule compensation qu'il pût offrir ou être, de ses accidents et de ses chutes, de ses glaces et de ses fautes. ah ! pensait-il, je n'ose lire ces prières toutes faites dont les paroissiens débordent, dire à Dieu, en le qualifiant d' "aimable" Jésus, qu'Il est le bien-aimé de mon cœur, que je prends la ferme résolution de n'aimer jamais que lui, que je veux mourir plutôt que de lui déplaire" comment Saint, c'est de la canaille de l'hypocrisie, c'est absurde ! oser dire cela, sans rougir, à la face de Celui qui sait tout ! Combien ceux qui débitent ces lieux communs d'amour désirent sacrifier leur vie, pour éviter des péchés qu'ils commettent, à tire-larigot, chaque jour ? C'est ce dont monstrueux que de vouloir berner le Seigneur pour des promesses qu'on n'exécute pas même pour tenir ! Et Durtal se disait :

Sauf les prières de la Liturgie qui étaient inspirées présentant de s'adapter à travers les temps, à tous les états d'âme, à tous les âges

sauf encore des prières conservées de quelques Saints, d'est Bernard, entre autres, qui sont en somme des aspirations de pitié et d'aide, des appels à la miséricorde de la Vierge, toutes issues des emphatiques et froides sacristies du 17ᵉ siècle ou, ce qui est pis encore, maintenant imaginées par des dévotions ou articles de piété que transposant dans les paroissiens les boudineuseries de la rue St Sulpice et de la rue Bonaparte toutes ces mensongères et prétentieuses invitations à fuir, pour les pécheurs qui veulent demeurer au moins sincères !

C'est tout au plus, songeait Durtal, si cet extraordinaire enfant pourrait entretenir le Seigneur de la sorte, reprit Durtal, en regardant le petit enfant qui baisait la croix ... l'eau dans le calice tendu du prêtre ...

Vraiment, pour la première fois ... ce que peut-être l'enfance innocente, la petite âme sans péchés, toute blanche. L'Église qui pour à représenter devant l'autel des êtres ingénus, et candides, s'était arrivée à Chartres à façonner des âmes, à muer dès l'entrée dans le sanctuaire en des anges exquis et ordinaires mêmes. Il fallait réellement qu'en dehors même d'une culture spéciale, il y ait une grâce, une volonté de M. D. de Chartres de modeler ces enfants

[annotations dans la marge gauche :]

n'aimer jamais que lui, quand on est moine, (et solitaire) peut être. mais, dans la vie du monde ! et qui, sauf les Saints, préfère la mort à la plus légère des offenses ? Alors pourquoi ces prières, pourquoi vouloir berner celui qui sait tout par de telles déclarations, par de telles promesses. Seul

+ peuvent être prononcées impunément par chacun de nous, car le propre de leur inspiration, c'est

Si nous acceptons

+ définition et celles

+ à défaut d'autres qualités,

les autres issues des

reprit-il, regardant le petit enfant et comprenant

Rédigé par M

Expédié par M

Pour annoncer l'envoi à l'abbaye d'un exemplaire de luxe de *La Cathédrale* et de quatre exemplaires de l'édition courante, et donner les éclaircissements nécessaires sur sa situation vis-à-vis de Solesmes, à la suite de l'article de J. de Narfon dans *Le Figaro* (publiée dans « Une correspondance de J.-K. Huysmans avec Solesmes... », *Bulletin de la Société J.-K. Huysmans*, n° 62, 1974, pp. 11-13).

341

LETTRE DE DOM P. DELATTE A J.-K. HUYSMANS, 2 février 1898. — B.N., Ars., Ms. Lambert 36 (1).

L'abbé de Solesmes, qui a reçu un exemplaire « défectueux » en avertit l'auteur ; l'édition courante est déjà en lecture dans le monastère. (Publiée dans le *Bulletin de la Société J.-K. Huysmans*, n° 62, 1974, pp. 13-14.)

342

LETTRE DE L'ABBÉ FÉLIX KLEIN A J.-K. HUYSMANS, Paris, 8 février 1898. — B.N., Ars., Ms. Lambert 35.

Vive approbation après la publication de *La Cathédrale*. « *Là-bas* contenait... presque autant de mauvais que de bon. Il n'y avait presque rien à reprendre dans *En route*. *La Cathédrale* est tout à fait bonne. Elle apporte une joie réelle à ceux qui vous ont, dès le premier signe de retour, soutenu contre de sottes attaques... » L'abbé F. Klein (1862-1953), alors professeur adjoint à l'Institut catholique de Paris, avait été très mêlé à l'affaire de l'« américanisme » ; il venait d'envoyer à Huysmans un livre du P. Hecker pour lequel l'auteur de *La Cathédrale* manifestait beaucoup de sympathie.

343

LETTRE DE DOM GUERRY A A. PÉCOUL, Saint-Wandrille, 24 février 1898. — A.N., Papiers d'Origny et Pécoul, 376 AP.

Sur la lecture de *La Cathédrale* par les moines de Saint-Wandrille. « Le Révérend Père Prieur la lit en ce moment. Je l'ai parcourue d'un bout à l'autre, je trouve qu'il y a des longueurs... » Le destinataire de la lettre, Auguste-Louis Pécoul (1837-1916), était un ancien novice de Solesmes, archiviste-paléographe puis diplomate ; ami de Ligugé, il devint l'adversaire de Solesmes : Huysmans le soupçonnait de participer aux campagnes de presse dirigées contre Dom Delatte et l'abbesse de Sainte-Cécile ; aussi de fréquentes allusions à Pécoul, aux « Pécoulards » et aux « pécouleries » se trouvent-elles dans sa correspondance (cf. *Bulletin de la Société J.-K. Huysmans*, n° 62, 1974, pp. 18-19, n. 6.) Ce curieux personnage, érudit et grand bibliophile, qui a enrichi la Bibliothèque Méjanes et fut très mêlé au monde bénédictin, demeure encore presque inconnu.

344

DOM J. MELLET, Poème humoristique, adressé « A M. J.K.H. » (s.d.). — B.N., Mss., n.a. fr. 14317, fol. 142-143.

Dans *La Cathédrale*, Huysmans avait regretté que la France ait perdu sa supériorité en architecture religieuse : « Les gens qui s'affublent de ce nom [...] sont [...] des rapetasseurs de chapelles, des ressemeleurs d'églises, des fabricants de ribouis, des gnaffs ! » Dom Mellet composa en réponse un poème sur le thème des « gnaffs ». Une note de Dom Thomasson de Gournay précise que l'auteur demandait à Huysmans de recevoir trois architectes, lui-même, son frère et « Monsieur Bonnet ».

345

L'abbé F. Belleville. La Conversion de M. Huysmans. — Bourges, l'auteur, 1898. In-12. — B.N., Impr., 8° Ln^{27}. 46238.

Prêtre du diocèse de Bourges, curé de Chabris de 1885 à 1895, l'abbé François Belleville (1845-1919) était aussi un homme de lettres et un polémiste, formé à l'école des Bertaud, Gerbet, Pie, Dom Guéranger, Veuillot, Hello (cf. notice nécrologique, *Semaine religieuse du diocèse de Bourges*, 26 juillet 1919) ; on trouverait dans ses papiers, d'après son biographe « un échange très intéressant de correspondances avec des écrivains du jour : Huysmans, Loti, Bourget, etc. » Les lettres n'ont pas été retrouvées. Sous forme d'entretiens entre un chanoine, un aumônier, un missionnaire et un Parisien, les écrits de Huysmans sont passés au crible d'une critique acerbe. Dans la présentation de l'ouvrage par le même bulletin diocésain (17 décembre 1898), le ton est encore plus dur. « La question n'est pas de savoir si M. Huysmans est sincère ; il s'agit de savoir si sa conversion n'est pas contraire aux règles essentielles d'une conversion. »

346

G. Périès. La Littérature religieuse de M. Huysmans d'après son dernier livre *La Cathédrale*. Dans *Revue canonique*, Bulletin de l'Académie de droit canonique, 1re année, n° 5, mars 1898. — B.N., Impr., E. 90610.

Huysmans ne rencontra pas que des soutiens dans le clergé. Mgr Georges Périès (1861-1934), canoniste, qui était à cette époque vicaire à la Trinité et devint ensuite aumônier du lycée Louis-le-Grand, lui adressa de violents reproches, dénonçant son « manque de tact », son « absence de mesure », déclarant éprouver une impression de « sacrilège » devant certaines pages du livre. « Je sais bien, conclut-il, qu'on vous dit l'enfant chéri des monastères, mais je me figure malaisément l'accueil que vous auraient fait Dom Guéranger ou M. Icard... »

347

Carte de Dom Delatte a J.-K. Huysmans (S.l.n.d.). — B.N., Ars., Ms. Lambert 36.

Remerciements de l'abbé pour l'article de Huysmans, « *Le Luxe pour Dieu* », publié dans *L'Echo de Paris* du 16 novembre 1898 et, en même temps, pour les services rendus à l'abbaye (publiée dans le *Bulletin de la Société J.-K. Huysmans*, 1974, n° 62).

348

Lettre de J.-K. Huysmans a Dom Delatte, Paris, 22 novembre 1898. — Archives de l'Abbaye Saint-Pierre de Solesmes.

349

Lettre de Dom G. Guerry a A. Pécoul, Saint-Wandrille, 7 décembre 1898. — A.N., Papiers d'Origny et Pécoul, 376 AP.

Dom Guerry, dont les sentiments à l'égard de Huysmans n'étaient plus ceux qu'il lui témoignait en 1894, remercie A. Pécoul de lui avoir envoyé le livre de F. Coppée, *La Bonne Souffrance* : « C'est sans doute dans le but de me reposer de la fatigante lecture des élucubrations de Huysmans [...] ». Dans une lettre du 28 novembre du même correspondant, le ton n'est guère plus sympathique : tous les Pères lisaient l'abbé Belleville.

350

LETTRE DE J.-K. HUYSMANS A LA PRIEURE DU CARMEL D'ALGER, s.d. (décembre 1898). — B.N., Ars., Ms. Lambert 37 (2).

Le nom de la mère Bénie de Jésus (1858-1943) apparaît dans la correspondance de Huysmans avec Mme Bruyère. Née princesse Bibesco, entrée au Carmel en Autriche, fondatrice et prieure du Carmel d'Alger, elle intervint en faveur de l'auteur de *La Cathédrale*, qui était menacé d'une mise à l'Index. Dans cette lettre, Huysmans déclare qu'il est traqué pour avoir pris parti en faveur des monastères de Solesmes et défend ses deux ouvrages, *En route* et *La Cathédrale*.

351

LETTRE DE J.-K. HUYSMANS A DOM THOMASSON DE GOURNAY, Ligugé, 22 août 1898. — B.N., Mss., n. a. fr. 14317, fol. 84-85.

Sur papier à en-tête de la « Société d'ethnographie et d'art populaire », Huysmans avertit Dom Thomasson qu'il vient de devenir propriétaire d'un terrain à Ligugé : « En mon âme et conscience, je suis sûr aujourd'hui d'être inapte à faire un bon moine ». Il a désormais renoncé à Solesmes, mais craignant que sa retraite ne lui permît pas de vivre décemment à Paris, il a accepté l'invitation de son ami Gustave Boucher.

352

HUYSMANS CHEZ LUI, 11, rue de Sèvres, 1896. Quatre photographies de Dornac pour la série « Nos contemporains chez eux ». — B.N., Ars., Fonds P. Lambert.

353

LUCAS DE LEYDE. Portrait d'un jeune homme, 1519. Burin. — B.N., Est., Cb 6.

Un exemplaire de cette gravure du maître hollandais figurait, encadré, aux murs du logis de Huysmans. On la voit sur l'une des photos exécutées par Dornac, où elle fait pendant à la gravure du numéro suivant.

354

PORTRAIT DE NICOLAS STORTZENBECHER. Gravure du 17ᵉ siècle. — B.N., Est., N 2 (Stortzenbecher).

Il s'agit probablement d'un portrait, exécuté au 17ᵉ siècle, de ce corsaire hollandais. En fait le graveur a copié en l'inversant une image de Daniel Hopfer, qui représentait Kunz von der Rosen, compagnon de l'empereur Maximilien. Cette gravure se trouve en pendant de la précédente, sur la photo Dornac. L'identification de ces deux gravures a été faite par Mlle F. Gardey, du Cabinet des Estampes.

355

HUYSMANS ET Mme LECLAIRE sur un quai du port d'Anvers. Photographie L. Leclaire, 1897. — B.N., Ars., Fonds P. Lambert.

Photographie prise au cours du voyage que Huysmans fit en Belgique et en Hollande, avec ses amis Leclaire, à l'automne de 1897.

356

PIERRE ROCHE. Buste de J.-K. Huysmans, 1898. Plâtre, h. 48 cm. — B.N., Ars., Fonds P. Lambert.

Pierre Roche exécuta dans son atelier, rue Vaneau, ce buste de Huysmans, qu'il exposa au Salon de la Société des beaux-arts en 1898. Il fut offert par son fils, l'orientaliste Louis Massignon, à Pierre Lambert. D'après les notes de ce dernier, un bronze de ce buste fut envoyé à Huysmans pour sa maison de Ligugé.

Pierre Roche exécuta d'autres portraits de Huysmans, dont un en « gypsographie », et un projet de monument dont est connue une maquette en cire, restée en la possession du professeur Massignon.

VII

L'OBLAT
(1899-1907)

Installé à la Maison Notre-Dame, avec ses amis Leclaire, auprès des bénédictins de Saint-Martin de Ligugé, où il retrouve Dom Besse, Huysmans rêve vainement d'établir auprès du monastère un groupe d'écrivains et artistes qui entreraient dans l'oblature. Il assiste régulièrement aux offices et fait profession d'oblat en mars 1901. A la fin de l'année, le départ des moines pour la Belgique est pour lui une cruelle épreuve, le laissant une fois encore sous l'impression d'un échec total.

Recueilli par les bénédictines de la rue Monsieur, qui lui offrent l'hospitalité, il les quitte dès 1902 pour la rue de Babylone et ensuite la rue Saint-Placide, son dernier séjour parisien. En 1901, il avait publié *Sainte Lydwine de Schiedam*, où le thème de la souffrance réparatrice, si cher à l'écrivain, est illustré par l'étude d'un « cas » vraiment exceptionnel. Le naturalisme foncier de Huysmans y trouvait matière à d'étonnantes évocations, précédées d'un vaste tableau de la situation de l'Europe à l'époque de sainte Lydwine.

En 1903, *L'Oblat* dont la lecture est à l'origine de plus d'une vocation monastique, soulève chez les moines de Ligugé une tempête, vite apaisée. Les portraits, parfois « chargés », des religieux y voisinent avec des pages exaltantes sur la beauté de la liturgie et la pérennité de la règle bénédictine. Le liturgiste s'y révèle observateur informé, curieux et parfois judicieux, dans les notes dont il a couvert l'*Ordo* qu'il étudiait chaque jour.

Préparé par deux enquêtes personnelles en 1903 et 1904, auprès de ses amis Leclaire maintenant installés à Lourdes, voisins du Carmel, où il va retrouver la fille de la « Sol », son livre sur *Les Foules de Lourdes* (1905) reste bien dans la note de ses précédents ouvrages, avec un effort de composition plus marqué.

Huysmans, dont l'œuvre est suivie avec intérêt tant en France qu'à l'étranger est alors souvent sollicité par des inconnus, des femmes surtout, à la recherche de conseils ou même d'une direction spirituelle ; il sait habilement les conduire vers le cloître : tel fut le cas du « Petit Oiseau », qui entra à Dourgne quelques semaines avant la mort du romancier. Il subit, dès 1905, les premières atteintes du mal qui l'emportera en mai 1907 et se retire lentement du monde, confiant dans la protection de la Vierge dont il avait été le dévot serviteur, confirmant par sa résignation et l'acceptation de la souffrance, la sincérité de sa conversion. Si du passé il n'avait rien renié, tout apparaissait maintenant dans une lumière nouvelle et déjà s'ébauchait le rayonnement d'une œuvre qui n'a jamais cessé de trouver des fidèles, venus des directions les plus diverses, attirés par les aspects multiples d'un écrivain si représentatif de son temps.

R.R.

HUYSMANS A LIGUGE

357

LA MAISON NOTRE-DAME A LIGUGÉ. Photographies Léon Leclaire. 1899-1900. — B.N., Ars., Ms. Lambert 39.

a) La Maison N.-D. en construction.

b) La Maison N.-D., son jardin et le paysage ligugéen.

Lucien Descaves en donne une description dans *Les Dernières années de J.-K. Huysmans*, Paris, 1941, pp. 79-83 : « Je retrouvais autour de mon ami, dans le cadre reconstitué de la bibliothèque, tous les objets qui l'accompagnèrent jusqu'à la fin de ses déplacements : la table en vieux noyer reposant sur quatre têtes d'anges sculptées, le buste du saint Sébastien percé de flèches, le crabe de bronze, la vieille clef massive et rouillée, débris de monastère ou de prison [...] de même que le vieux tambour militaire, borgne et réduit au silence, où il jetait ses papiers [...] » (Voir aussi *L'Oblat*, chap. IV). Huysmans partageait cette maison avec M. et Mme Léon Leclaire, qu'il avait connus par l'abbé Ferret. Après le départ des moines, ses amis vécurent à Lourdes puis à Paris.

358

INSCRIPTION DÉDICATOIRE DE LA MAISON NOTRE-DAME à Ligugé. — B.N., Ars., Ms. Lambert 39.

Rédigée par Gustave Boucher, pour la bénédiction de la première pierre par Dom Bluté, le 7 décembre 1898.

359

J.-K. HUYSMANS ET QUELQUES AMIS devant la Maison Notre-Dame, à Ligugé, vers 1900. Photographie (contretype). — B.N., Ars., Fonds P. Lambert.

On reconnaît Huysmans assis au premier plan, tout à droite ; derrière lui, Dom Besse et un autre oblat, Paul Morisse. Sur la gauche, trois personnages : d'abord Léon Leclaire, puis deux peintres de notoriété bien inégale, Antonin Bourbon, lui aussi oblat, et — au milieu des trois — Georges Rouault. (D'après les notes de P. Lambert.)

N° 359

360

Lettre de Mme de Thomassin a J.-K. Huysmans, Paris, 21 juillet 1901. — B.N., Ars., Ms. Lambert 33.

On sait que J.-K. Huysmans avait une grande passion pour les chats. En juillet 1901, il reçut une jeune siamoise (« la princesse de Siam »), munie de son « pedigree », que lui envoyait Mme de Thomassin (la jeune chatte descendait de chats ramenés du Siam par le capitaine de Thomassin en 1895) ; elle l'accompagna dans son logis parisien, chez les bénédictines de la rue Monsieur.

361

L'abbaye bénédictine de Ligugé. Revue encyclopédique Larousse, 8e année, n° 277, 24 décembre 1898. — B.N., Ars., Fol. Lambert 10.

Huysmans a évoqué dans ce bref article l'histoire de l'abbaye et la vie des moines depuis la fondation d'un prieuré par des moines de Solesmes, appelés par Mgr Pie, évêque de Poitiers, en 1853.

362

L'abbaye Saint-Martin de Ligugé. Photographies. 1890-1900. — Archives de l'Abbaye de Ligugé.

a) Vue d'ensemble de l'abbaye.

b) Transformation de l'ancien prieuré pour agrandir la bibliothèque.

363

QUELQUES MOINES DE LIGUGÉ. Photographies. — B.N., Ars., Ms. Lambert 39.

a) Le R^{me} P. Dom Joseph Bourigaud (1821-1910), abbé de 1877 à 1906.
b) Dom François Chamard, prieur (1828-1908).
c) Dom Raphaël Andoyer, grand chantre (1858-1921).
d) Dom Delphin Guyot (1848-1927).
e) Dom Jean de Mayol de Lupé (1873-1955).

On a cherché les « clefs » de *L'Oblat,* mais Huysmans a souvent emprunté des traits carac-téristiques à plusieurs moines pour en recomposer l'un de ses personnages. On retrouve bien le P. Chamard en Dom de Fonneuve et le P. Besse dans Dom Felletin, mais le grand chantre, le P. Ramondoux de *L'Oblat* n'est pas seulement le P. Andoyer. Dans *Le Lutrin* (1957, n° 1), revue grégorienne publiée à Genève, on trouvera des précisions intéressantes par un ancien moine de Ligugé passé à la Chartreuse de la Valsainte.

364

LE NOVICIAT DE LIGUGÉ EN 1900. Photographie. — Archives de l'Abbaye de Ligugé.

Vue prise dans le préau du cloître, à l'occasion de la retraite annuelle de la communauté.

365

L'ABBÉ LOUIS LE CARDONNEL, moine à Ligugé. Photographie. 1901. — B.N., Ars., Ms. Lambert 36 (9).

Louis Le Cardonnel (1862-1936), prêtre et poète, avait rencontré Huysmans dès 1890 ; entré à Solesmes en 1886, il n'y passa que quelques mois et termina ses études ecclésiastiques au Séminaire français de Rome. Prêtre en 1896, il entra à Ligugé en mars 1900, mais quitta de nouveau la vie monastique avant le départ des moines.

366

[RÈGLEMENT DU NOVICIAT DE LIGUGÉ]. Lithographie. 3 p. — B.N., Ars., Ms. Lambert 39.

367

JOURNAL INTIME, 16 août-19 octobre 1901. Manuscrit autographe, 14 ff. — B.N., Ars., Ms. Lambert 11.

Une édition de ce texte essentiel pour les dernières semaines du séjour de Huysmans à Ligugé, au moment du départ des novices pour la Belgique, a été publiée par P. Lambert (« Aux sources de *L'Oblat* », dans *Bulletin de la Société J.-K. Huysmans,* n° 52, 1966).

SAINTE LYDWINE

368

ŒUVRES SPIRITUELLES DE THOMAS A KEMPIS... traduites du latin par le P. P.-M.B. Saintyves, ... Tome 7e ... — Paris, V. Sarlit, s.d. In-16. — B.N., Ars., 8° Lambert 455.

La couverture porte : *Vie de Sainte Lydwine, Vie de Gérard le Grand, traduites du latin.*
Exemplaire de la bibliothèque de J.-K. Huysmans, avec des notes autographes et de nombreux passages soulignés de sa main. Le P. Willibrord-Christiaan Van Dijk, bibliothécaire provincial des Capucins, a étudié, dans une conférence à l'Institut néerlandais de Paris, « Les sources de la vie de sainte Lydwine de Schiedam chez J.-K. Huysmans » (*Bulletin de la Société J.-K. Huysmans*, n° 61, 1973, pp. 15-30).

369

Acta Sanctorum, Aprilis tomus secundus... — Paris, V. Palmé, 1866. In-fol. — B.N., Ars., Ms. Lambert 22.

Recueil contenant le manuscrit des pages 55, 257-261, 295-296, de l'édition Stock, les pp. 265-368 du 2ᵉ tome d'avril des *Acta sanctorum*, avec des annotations manuscrites de Huysmans, cinq décrets sur la messe et les offices propres de sainte Lydwine et 2 feuillets de notes de la main de Huysmans (dont l'une concerne le « Jeu des capuchons »),

370

Sainte Lydwine de Schiedam. Manuscrit autographe, 104 ff. (Reliure de Marius Michel). — Au colonel Sickles.

Manuscrit de travail, comportant de nombreuses corrections autographes.

371

Sainte Lydwine de Schiedam. Fragment d'un manuscrit de travail. 18 ff. — B.N., Mss., n. a. fr. 13630.

372

Sainte Lydwine de Schiedam. — Paris, Stock, 1901. In-4°. — B.N., Ars., 8° Lambert 88.

Edition imprimée à Hambourg, sur papier ordinaire, n° 659/1240. Dédicace autographe « à M. Romagnol ».

373

Lettre du chargé d'affaires d'Allemagne a l'éditeur P.-V. Stock, Paris, 11 septembre 1901. — B.N., Ars., Ms. 15097.

Pour l'informer que l'ouvrage *Sainte Lydwine de Schiedam* a été présenté à l'empereur d'Allemagne [Guillaume II] « qui a pris grand intérêt à l'usage qu'on y a fait des lettres gothiques », mais la règle ne permettant pas d'accepter les ouvrages envoyés par les éditeurs, les volumes lui sont retournés. La lettre est signée *Schlaeger*.

374

Sainte Lydwine de Schiedam. Epreuves corrigées de l'édition Stock. — B.N., Ars., 8° Lambert 93.

Secondes épreuves, comportant de nombreuses corrections autographes de l'auteur, avec couverture. Au 1ᵉʳ cahier, « Prière de donner une nouvelle épreuve [...] et de changer les fleurons », avec une double signature de J.-K. Huysmans.

375

SAINTE LYDWINE DE SCHIEDAM. — Paris Stock, 1901. In-16. — B.N., Ars., 8° Lambert 90.

Exemplaire dédicacé à Mme Rachilde. Celle-ci se déroba pour un compte rendu dans *Le Mercure de France*, ne croyant pas avoir « la dignité nécessaire ». Cependant, elle ne peut cacher son admiration pour le travail de Huysmans. « Je me suis laissé gagner à ce feu de *lampe de soudeur* que vous promenez sur les doutes de vos lecteurs pour les volatiliser ou leur entrer, de force, votre propre flamme... » [Paris, 3 juillet 1901, Ms. Lambert 28.]

376

J.-K. HUYSMANS DANS LA CHAPELLE DE SAINTE LYDWINE A SCHIEDAM. Photographie L. Leclaire. 1897. — B.N., Ars., Fonds P. Lambert.

Huysmans et les Leclaire se trouvaient à Schiedam au début d'octobre 1897. La chapelle a été récemment détruite et les ornements vendus.

377

LA CHUTE DE LYDWINE SUR LA GLACE, tableau de Dunselman. Photographie L. Leclaire. — B.N., Ars., Fonds P. Lambert.

Tableau placé dans la chapelle de Sainte Lydwine, à Schiedam (*Sainte Lydwine*, chap. 2), décorée par le peintre Jan Dunselman.

378

EPISODE DE LA VIE DE Ste LYDWINE, tableau de Dunselman. Photographie. — B.N., Ars., Fonds P. Lambert.

Tableau placé, comme le précédent, dans la chapelle de Sainte Lydwine, à Schiedam.

379

LETTRE DE L'ABBÉ POELHEKKE A J.-K. HUYSMANS, Schiedam, 7 juin 1901. — B.N., Ars., Ms. Lambert 36 (8).

Le curé de la Visitation Notre-Dame, où se trouvait la chapelle de Sainte Lydwine, remercie chaleureusement Huysmans de son livre : « la figure de la sainte héroïne s'élève et s'agrandit sous nos yeux dans le monde immense de la mystique... ».

OBLAT ET LITURGISTE

380

PETIT CATÉCHISME LITURGIQUE par l'abbé HENRI DUTILLIET... et Catéchisme du chant ecclésiastique par A. VIGOUREL. 15ᵉ édition... Préface par J.-K. Huysmans. — Paris, J. Bricon, 1899. In-12. — B.N., Ars., 8° Lambert 110.

Exemplaire sur papier de Hollande.
Huysmans découvrit l'ouvrage sur les quais et, ayant appris qu'il était épuisé depuis longtemps, il en souhaita la réédition, après révision par le professeur de liturgie du

Séminaire de Saint-Sulpice, avec un supplément contenant un catéchisme de plain-chant. Huysmans manifeste dans sa préface un vif intérêt pour la liturgie et insiste sur la nécessité d'instruire les fidèles, qui ne doivent pas assister passivement aux offices.

381

ORDO DIVINI OFFICII SACRIQUE PERAGENDI... IN ABBATIA S. PETRI DE SOLESMIS... PRO A.D. 1900. — Solesmis, e typogr. S. Petri, 1900. In-8°. — B.N., Ars., Ms. Lambert 23.

Exemplaire de J.-K. Huysmans, avec ex-libris et 2 ff. de notes autographes. Le volume contient de nombreuses annotations manuscrites qui prouvent le soin avec lequel Huysmans scrutait les textes de la liturgie monastique, exprimant sa satisfaction ou, au contraire, ses doléances à propos des pièces du répertoire grégorien, ou sur le manque d'adaptation de certains textes à la fête du jour. A propos de la liturgie dans son ensemble, il note : « On a l'idée de l'imperméabilité, de l'éternité de l'Eglise en ces offices qui continuent depuis les âges, comme si rien n'arrivait, comme si rien ne devait advenir ». (L'abbé J. Daoust a étudié l'*Ordo* annoté de 1900 dans les *Mélanges de science religieuse*, Lille, 1950.)

382

LIBER ANTIPHONARIUS PRO DIURNIS HORIS JUXTA RITUM MONASTICUM... — Solesmis, e typographeo Sancti Petri, 1891. In-8°. — B.N., Impr., B. 24896.

A l'exception de l'*Ordo* pour 1900 et d'une édition des *Variae Preces*, les exemplaires des livres liturgiques ayant appartenu à Huysmans n'ont pas été conservés. L'édition de l'Antiphonaire en usage remontait à 1891, celle du Graduel à 1895. (Cf. Dom P. Combes, *Histoire de la restauration du chant grégorien d'après des documents inédits...*, Abbaye de Solesmes, 1966.) L'oblat qui ne voulait pas « trimbaler » avec lui « les pesants bouquins notés de Solesmes » utilisait un diurnal « fabriqué par la congrégation d'Angleterre », avec un supplément français.

383

CHARTE DE PROFESSION D'OBLAT de J.-K. Huysmans. Photographie. — B.N., Ars., Fonds P. Lambert.

J.K. Huysmans fit profession dans la chapelle du noviciat, le 21 mars 1901. Le récit en figure dans *L'Oblat* ; la cérémonie se déroula suivant le cérémonial fixé par l'Eglise (cf. Dom P. Guéranger, *L'Eglise ou la société de la louange divine. Les oblats séculiers de l'ordre de Saint-Benoît*, Tours, 1910, où se trouvent également les documents pontificaux concernant les privilèges des oblats).

384

CHARTE, signée de Dom J. Bourigaud, abbé de Ligugé, accordant à J.-K. Huysmans, « oblat de notre abbaye, participation aux prières et bonnes œuvres de notre couvent », 24 août 1901. — B.N., Ars., Ms. Lambert 26 (12).

385

MÉDAILLE DE SAINT BENOIT. Tirage d'après un cuivre du XVIIIe siècle. — A M. R. Rancœur.

386

CARNET DE NOTES sur les Petits Bollandistes et la liturgie des offices. Ms. autographe. 1899-1901. 46 p. — B.N., Ars., Ms. Lambert 15.

Les notes concernant la liturgie et le déroulement des offices débutent le 16 octobre 1899 et s'arrêtent à la Pentecôte de 1901. Une édition critique de *L'Oblat* permettrait de suivre le travail de rédaction de l'écrivain, observateur plein d'acuité et bon connaisseur de la liturgie monastique. On notera ce que J.-K. Huysmans appelle le « jeu des capuchons ». (Voir aussi n° 369.)

387

L'OBLAT. Manuscrit de travail. 177 ff. (Reliure de Pierre Legrain). — Bibl. litt. Jacques Doucet.

Manuscrit correspondant aux ch. II, III, V, VI, VII et XII de l'ouvrage où l'on relève de nombreux passages modifiés, ou même supprimés par Huysmans, dans le texte définitif (par exemple, f. 113, un passage sur la direction bénédictine).

388

L'OBLAT. — Paris, P.-V. Stock, 1903. In-18. — B.N., Ars., 8° Lambert 82.

Edition originale avec dédicace autographe de J.-K. Huysmans à Octave Uzanne. Photographie de la Maison Notre-Dame par O. Uzanne, avec note manuscrite et portrait du dédicataire.

389

L'OBLAT. Illustrations à l'eau-forte par P.-A. Bouroux. — Paris, 1930. In-4°. — B.N., Impr., Rés. m. Y². 377.

390

LETTRE DE LÉON LAVEDAN A J.-K. HUYSMANS, château de Loury (Loiret), 28 septembre 1901. — B.N., Ars., Ms. Lambert 35.

L. Lavedan, qui était directeur du *Correspondant*, désirait compter Huysmans au nombre des collaborateurs de la revue et publier un de ses articles. « [...] je dis un pour commencer, car [...] je souhaiterais vivement une suite ». L'abbé Mugnier lui a parlé d'un texte dont le titre pourrait être « La liturgie des fleurs » ; à défaut, le premier chapitre de *L'Oblat* serait « une très bonne entrée en matière ». Ancien préfet de la Vienne, il rappelle qu'il fut toujours un ami de Ligugé.

391

LETTRE DU P. ARNAUD A J.-K. HUYSMANS, Ecole St Paul, Le Pirée (Grèce), 10 mars 1903. — B.N., Ars., Ms. Lambert 27.

Le P. Arnaud n'est autre que le « petit Arnaud », dont le nom apparaît souvent dans la correspondance de Huysmans à partir de 1896. Protégé de l'abbé Ferret, il entra à Solesmes, passa à St Maur-de-Glanfeuil et ensuite à Farnborough ; refusé à la profession solennelle, il fut admis chez les Oblats de St François de Sales et envoyé à Athènes. Huysmans lui avait adressé *L'Oblat* qui éveilla en lui bien des souvenirs : « C'est une revue où chacun vient dire un couplet... » Il affirme qu'il ne croyait pas à la possibilité de rétablir l'oblature sous la forme souhaitée par le romancier.

392

Lettre du P. Henri Bremond a J.-K. Huysmans, Paris, 2 avril [1903]. — B.N., Ars., Ms. Lambert 27.

Le P. H. Bremond, qui n'avait pas encore quitté la Compagnie de Jésus, mais venait de recevoir l'ordre de quitter Paris, était toujours rédacteur aux *Etudes*. L'article qu'il consacra à *L'Oblat* parut dans le fascicule du 5 mai 1903, pp. 328-347, très élogieux, mais avec quelques réserves. Il en avait averti Huysmans : « Vous me passerez — n'est-ce pas — une ou deux petites rosseries qui me mettront plus à l'aise [...] »

LE RETOUR A PARIS

393

Lettre de la baronne Denys Cochin a l'abbé Mugnier, Beauvoir, s.d. (1901). — B.N., Ars., Ms. Lambert 33.

La baronne D. Cochin, née Péan de Saint-Gilles, femme du député de Paris, charge l'abbé Mugnier d'offrir à Huysmans (dont *Le Gaulois* a annoncé le retour à Paris) une petite maison au fond de son jardin, avec accès par la rue Oudinot, n° 12, près du domicile de F. Coppée. L'hôtel Cochin, 51, rue de Babylone, recevra quelques années plus tard le cardinal Richard, après la séparation des Eglises et de l'Etat. Henry Cochin, frère de Denys, avait été l'un des organisateurs de l'exposition Charles Dulac, après la mort de l'artiste ami de Huysmans.

394

La chapelle des bénédictines de la rue Monsieur. Photographies d'après des clichés d'E. Nugues. — B.N., Ars., Ms. Lambert 38.

a) Porche d'entrée (à droite au premier étage, appartement de J.-K. Huysmans). 2 photographies (sur l'une d'elles M. Bellot, frère de Dom Paul Bellot, l'architecte).
b) Intérieur de la chapelle : à gauche, le chœur des moniales.
c) L'autel vu de face.

395

Les Moniales. Préface de Jean Guitton. Introduction de Louis Chaigne. L'album de Mère Geneviève Gallois (1888-1962) présenté par Marcelle Auclair. Chronique de Saint Louis du Temple rédigée par Carmen Bernos de Gasztold, avec la collaboration de René Rancœur. — Paris, Desclée de Brouwer, 1966. In-4° oblong. — A M. R. Rancœur.

La chronique du monastère fondé au Temple, le 4 décembre 1816, par la princesse Louise-Adélaïde de Bourbon-Condé (Sœur Marie-Joseph de la Miséricorde), transféré rue Monsieur en 1850, mentionne fréquemment le nom de Huysmans entre 1894 et 1917, en particulier dans la période où il habita une dépendance du couvent, d'octobre 1901 à août 1902. Après sa mort, un *Requiem* en grégorien fut chanté en présence de tous ses amis, dans cette chapelle qui fut jusqu'au départ des moniales, en 1938, un des hauts lieux de la spiritualité parisienne. C'est pendant son séjour rue Monsieur qu'il commença la rédaction de *L'Oblat*.

396

MÈRE GENEVIÈVE GALLOIS. LES MONIALES. Dessins à l'encre de Chine relevés à l'aquarelle et à la gouache. — A l'Association des amis de Mère Geneviève Gallois.

a) Le couloir des coules, rue Monsieur.
b) Les toits de la rue Monsieur vus du noviciat.
c) Vue intérieure du monastère.

Mère Geneviève Gallois, entrée chez les bénédictines de la rue Monsieur en 1917, devait illustrer une nouvelle édition d'*En route,* mais le projet fut abandonné par l'éditeur. Après l'installation des moniales à Limon, elle évoquera leur vie quotidienne par des gravures, des dessins et des croquis qui illustrent le volume précédent, que complète un album où l'on retrouve l'atmosphère de la rue Monsieur : ainsi dans « Le couloir des coules » (les religieuses y déposent après l'office leur vêtement de chœur) et dans cet aspect intérieur du couvent, un mur proche de la chapelle, sans doute celui de la chambre qu'occupait Huysmans et qui longeait l'église (lettre de J.-K. Huysmans à Ad. Berthet, 2 janvier 1902).

397

MÉMORIAL établi par les officiers de chœur et les servants de l'Abbaye perpétuant le souvenir de l'érection du prieuré des Bénédictines de l'Institut du Saint-Sacrement en abbaye, le 25 août 1932, par un bref de S.S. le Pape Pie XI. — A M. R. Rancœur.

Le mémorial précise que le « service liturgique établi dans ce monastère » se développa « sous l'impulsion de J.-K. Huysmans et la direction de Dom Besse et de Dom Potevin ».

398

LA RUE SAINT-PLACIDE. Cartes postales et photographie. — B.N., Est., Va 268 e.

a) Le quartier et la rue Saint-Placide. Cartes postales, 1905-1906.

Huysmans s'installa au 31, rue Saint-Placide en mars 1904, dans l'appartement où il devait mourir trois ans plus tard. Il apprécia beaucoup le calme du quartier dont ces vues exactement contemporaines nous donnent une évocation.

b) L'immeuble du 31, rue Saint-Placide. Photographie Jean Roubier, 1948.

399

J.-K. HUYSMANS. Photographie Taponier. 1904. — B.N., Ars., Fonds P. Lambert.

Huysmans, qui avait ce portrait chez lui, le légua aux Leclaire.

400

J.-K. HUYSMANS. Photographie Taponier. Vers 1904. — A M. H. Lefai.

Dédicace de G. Aubault de la Haulte-Chambre à Gabriel-Ursin Langé, septembre 1924.

401

J.-K. HUYSMANS A LOURDES, 1904. Photographie par L. Leclaire. — B.N., Ars., Fonds P. Lambert.

Sur le perron de la chapelle du Carmel. Dédicace autographe de J.-K. Huysmans aux Leclaire. « Ce qu'on demande ici à la Vierge par le feu, on l'obtient par l'eau... »

N° 396 a

N° 400

402

L'ORATOIRE DES SŒURS ET LE CLOITRE DU CARMEL DE LOURDES. Photographies par L. Leclaire, vers 1903-1904. — B.N., Ars., Ms. Lambert 36 (15).

Documents provenant des papiers de J.-K. Huysmans, par l'intermédiaire de J. de Caldain.

403

SOUVENIR DE PROFESSION ET PHOTOGRAPHIE DE SŒUR THÉRÈSE DE JÉSUS, 1903. — B.N., Ars., Ms. Lambert 36 (15).

Luisa Pedreño, entrée au Carmel de Lourdes sous le nom de sœur Thérèse de Jésus, était la fille de la « Sol ». Elle prit l'habit le 15 août 1900 et fit profession le 25 mars 1903. D'après l'enquête faite par Pierre Lambert, elle dut ensuite quitter le couvent, car les chroniques ne la mentionnent plus après sa profession. Au cours de son séjour à Lourdes, Huysmans occupait une villa appartenant au Carmel ; il fut autorisé à voir la jeune novice au parloir et assista certainement à sa profession.

122

404

Lettre de J.-K. Huysmans a Jean de Caldain. Lourdes, 12 mars 1903. — B.N., Ars., 8° Lambert 34.

Premières impressions de l'écrivain à Lourdes, « un Lourdes sans pèlerinage, sans fard, très charmant et très curieux... ». Il a vu au Carmel la jeune novice, fille de la « Sol ».

405

Autorisation accordée par l'évêque de Tarbes a J.-K. Huysmans, pour pénétrer dans les enceintes réservées du pèlerinage, du 17 au 30 septembre 1904. — B.N., Ars., 8° Lambert 34.

L'évêque de Tarbes était Mgr Schoepfer (1843-1927).

406

J.-K. Huysmans et L. Leclaire parmi la foule des pèlerins de Lourdes, le 11 septembre 1904. Photographie P. Viron, Lourdes. — B.N., Ars., Fonds P. Lambert.

Huysmans est agenouillé au premier rang à droite, pendant la bénédiction du Saint-Sacrement.

407

Les Deux faces de Lourdes. — Paris, P.-V. Stock, 1905. In-18. — B.N., Ars., 8° Lambert 34.

Edition pré-originale des *Foules de Lourdes* constituée avec les premiers placards d'imprimerie de l'ouvrage avant le changement de titre ; ils s'arrêtent à la page 183 de l'édition définitive. Tiré à dix exemplaires hors commerce.

408

Les Foules de Lourdes, suivi de *Carnets et lettres* (1903-1904) publiés pour la première fois. Introduction avec des documents inédits par Pierre Lambert. — Paris, Plon, 1958. In-8°. — B.N., Ars., 8° Lambert 58.

409

Notes autographes. Lourdes, mars 1903. — B.N., Ars., Ms. Lambert 10.

Notes prises pendant le premier séjour de l'écrivain à Lourdes et publiées par P. Lambert dans l'édition précédente des *Foules de Lourdes*.

410

Notes pour *Les Foules de Lourdes*. Manuscrit autographe, 2 p. in-fol. — B.N., Ars., Ms. Lambert 37 (1).

Le calendrier des apparitions de la Vierge à Bernadette Soubirous et, en regard, le calendrier liturgique pour la même période (voir chap. XIII).

411

CARTE DE Mgr SCHOEPFER, ÉVÊQUE DE TARBES, A J.-K. HUYSMANS, 7 octobre 1906. — B.N., Ars., 8° Lambert 34.

412

LETTRE DU P. ALFRED BAUDRILLART A J.-K. HUYSMANS, Paris, 18 octobre 1906. — B.N., Ars., Ms. Lambert 35.

Remercie J.-K. Huysmans pour l'envoi des *Foules de Lourdes*. Il n'a que de lointains souvenirs de Lourdes, « souvenirs de normalien, — l'être qui vous est odieux ». Il pense que du livre se dégage surtout l'impression « douloureuse », ajoutant : « Il est vrai que je suis sensible [...] ». Mgr Baudrillart (1859-1942), oratorien, ne deviendra recteur de l'Institut catholique de Paris qu'en 1907.

413

X***. UN PÈLERINAGE A LOURDES. *L'Illustration*, 5 septembre 1903. In-fol. — B.N., Ars., Fol. Jo. 695.

Transport d'un malade aux piscines.
La sortie des piscines.
A l'hôpital des Sept-Douleurs.
Les brancardiers volontaires.

414

CARTE DE J.-K. HUYSMANS A L. LECLAIRE. Cachet : Paris, 11 mars 1907. — B.N., Mss., n. a. fr. 12426, fol. 578.

Huysmans est déjà très gravement atteint et doit dicter ses lettres à J. de Caldain ; il veut faire exception pour son ami Leclaire : « Personne, n'ayant la foi et deux sous de courage, ne se serait fait déjà sauter la cervelle [...] Eh bien, je ne suis pas malheureux, le jour où j'ai dit fiat, Dieu m'a donné une force incroyable et une paix de l'âme admirable [...] »

415

LETTRE DE DOM J.-M. BESSE A J.-K. HUYSMANS, Chevetogne, par Leignon, province de Namur, 1er mai 1907. — B.N., Ars., Ms. Lambert 39.

Pour lui annoncer l'envoi de l'habit monastique que Huysmans avait demandé afin d'y être enseveli, suivant le privilège des oblats bénédictins. « Saint Benoît, du haut du ciel, veille sur votre âme. Dieu achève en vous son œuvre de purification par la souffrance [...] Je vous embrasse du fond du cœur, en vous disant, au revoir et à Dieu. »

416

DÉCÈS DE J.-K. HUYSMANS.

a) Image mortuaire. — B.N., Ars., Ms. Lambert 26 (34).
b) Faire-part de décès. — B.N., Ars., Ms. Lambert 26 (35).

11 mars 1907
578

Mon cher ami, je vous réponds quelques lignes, car c'est ma
fête et vous êtes le seul pour lequel je ne prenne pas mon écritoire;
que béni soit la petite sœur Thérèse de Jésus et que la Vierge la
m'enveloppera de son dévouement pour moi!

La vie continue — la grippe aujourd'hui ou reste. Je ne dors pas, je
ne mange pas, je fabrique des abcès, avec comme accompagnement
un éternel mal de dents.

Personne, n'ayant la foi et 2 sous de courage, ne se serait fait
déjà sauter la cervelle. Eh bien, je ne suis pas malheureux.
Le jour où j'ai dit fiat, Dieu m'a donné une force incroyable
et une paix de l'âme admirable. Je ne suis pas malheureux. Je ne

N° 414

417

INVITATION A LA MESSE CÉLÉBRÉE DANS L'ÉGLISE DES CARMES, à Bruxelles, le
28 mai 1907, au nom du comité de rédaction de *Durendal*. — B.N., Ars.,
Ms. 15097.

L'invitation est signée de l'abbé Henry Moeller, Henry Carton de Wiart, Firmin Van den
Bosch, Georges Virrès. La revue *Durendal* avait été fondée à Bruxelles en 1894 par l'abbé
H. Moeller (1852-1918), qui avait entretenu une correspondance avec J.-K. Huysmans. Dom
Besse devait, le même jour, prononcer une conférence.

418

LETTRE DE L'ABBÉ DANIEL FONTAINE A LUCIEN DESCAVES, Clichy, 8 mai 1914. —
B.N., Ars., Ms. Lambert 37 (5).

L'abbé Daniel Fontaine (1862-1920) était vicaire à Clichy quand Huysmans le choisit comme
confesseur, vers la fin de 1902. Le « second abbé Ferret », qui avait été directeur des
Orphelins d'Auteuil, fut ensuite nommé administrateur puis curé de la chapelle de
Notre-Dame Auxiliatrice de Clichy. Il restaura une société de spiritualité sacerdotale. Après la
mort de Huysmans, qui lui légua sa bibliothèque religieuse (maintenant conservée dans la

collection P. Lambert), il célébrait chaque année une messe pour l'anniversaire de la mort de l'écrivain, dans la chapelle des bénédictines de la rue Monsieur. La lettre adressée à L. Descaves l'invitait à la cérémonie du 12 mai 1914.

DIRECTIONS SPIRITUELLES ET VOCATIONS

419

ENVELOPPE D'UNE LETTRE DE C.-L.-M. ALBERDINGK THIJM A J.-K. HUYSMANS. Cachet : Amsterdam, 24 déc. 96. — B.N., Ars., Ms. Lambert 35.

L'enveloppe porte « Monsieur J.-K. Huysmans, littérateur, Cathédrale, Crypte de la Vierge, à Chartres, France ».

La lecture des ouvrages de Huysmans postérieurs à sa conversion lui valut de nombreuses lettres dont les signataires lui ouvraient leur âme avec confiance. Parmi ces correspondants figurait la fille d'un écrivain néerlandais, Catharina-Ludovica-Maria Alberdingk Thijm (1848-1908), qui dissimula sa personnalité, se présentant comme un homme. Traversant une crise spirituelle, elle n'hésita pas à envoyer à Huysmans une lettre qui devait, espérait-elle, l'atteindre à Chartres. Si la lettre arrivait à son but, elle voudrait bien croire encore... Or, J.-K. Huysmans vint à Chartres pour la fête de Noël. Seule l'enveloppe a été conservée. Les lettres de la Hollandaise sont perdues, mais celles de Huysmans se trouvent à la Bibliothèque royale de La Haye. Elles ont été publiées par l'abbé J. Daoust (*J.-K. Huysmans directeur de conscience. Lettres inédites*, Fécamp, 1953).

N° 419

126

420

LETTRE DE VICTOR SEGALEN A J.-K. HUYSMANS, Bordeaux, 6 novembre 1900. — B.N., Ars., Ms. Lambert 28 (56).

L'aumônier de l'Ecole de santé navale de Bordeaux conseilla à V. Segalen, attiré par l'œuvre de Huysmans après la lecture d'*En route*, de rendre visite à Dom Thomasson de Gournay. Ce dernier l'envoya à Solesmes, puis chez Huysmans, à Ligugé. Dans cette lettre, Segalen exprime une fois de plus sa reconnaissance à Huysmans. Tout en restant sous son influence, très marquée dans son style, il s'écartera ensuite de l'orientation mystique qui était la sienne au début de leurs relations.

421

LETTRE DE Mme OLGA LUNDH A J.-K. HUYSMANS, Kopatkevitchi (Gouvernement de Minsk), mars (?) 1901. — B.N., Ars., Ms. Lambert 33.

L'influence de Huysmans était très étendue, même hors de France, Mme Olga Lundh, russe orthodoxe, mais traversant une crise religieuse et dépourvue de confiance dans le clergé russe, s'adressa à l'écrivain pour solliciter une orientation : « Voilà deux ans que je lis et relis *En route* et que je rumine le projet de vous écrire. » L'écrivain répondit à cet appel et reçut une seconde lettre de Mme O. Lundh, qui s'avouait de plus en plus attirée vers le catholicisme.

422

LETTRE DE HENRI D'HENNEZEL A J.-K. HUYSMANS, Château de Marault, par Bologne (Hte Marne), 27 septembre 1901. — B.N., Ars., Ms. Lambert 35.
Exprime à Huysmans sa sympathie au moment où il doit quitter Ligugé et lui confie que la lecture d'*En route* (« dont je sais des pages par cœur à force de les avoir relues ») lui a permis de retrouver la foi au milieu « d'une débâcle morale à peu près complète ». Il lui propose de le documenter sur la liturgie lyonnaise dont il admire les cérémonies pendant ses séjours d'hiver à Lyon (cf. A. Billy, *J.-K. Huysmans et ses amis lyonnais*, Lyon, 1942).

423

LETTRE D'HENRIETTE DU FRESNEL A J.-K. HUYSMANS, 23 décembre 1900. — B.N., Ars., Ms. Lambert 37 (3).

Henriette du Fresnel (1879-1941) écrivit à J.-K. Huysmans dès 1899, mais celle qui devait être souvent désignée dans leur correspondance comme « le Petit Oiseau » ne le rencontra pas avant novembre 1901, après son départ de Ligugé. La vive attirance qu'elle éprouvait vers lui devint un amour passionné contre lequel Huysmans réagit avec fermeté, s'efforçant d'orienter la jeune fille vers le cloître : en mars 1907, elle entra chez les bénédictines de Dourgne. La publication des lettres de Huysmans au « Petit Oiseau », confiées par la moniale à son ancien directeur, le P. Auriault, s.j., se heurta au veto de Lucien Descaves. Les lettres n'ont pas été retrouvées et ne sont connues que par de rares extraits. Dans la lettre présentée ici, H. du Fresnel, qui signait parfois « Gaëlle », annonçait à Huysmans l'envoi de conférences du P. Auriault sur le Pape et le remerciait de lui avoir conseillé la lecture de l'ouvrage de Dom F. Cabrol, *Le Livre de la prière antique*.

424

« LE PETIT OISEAU ». Deux photographies. — B.N., Ars., Ms. Lambert 37 (3).
a) Henriette Du Fresnel, vers septembre 1904.
b) Sœur Scholastique, novice bénédictine, 1907 : Henriette Du Fresnel, quelques mois après son entrée à Dourgne.

N° 424

425

Lettre de sœur Scholastique a J.-K. Huysmans, mardi de Pâques [2 avril]
1907. — B.N., Ars., Ms. Lambert 37 (3).

« Je suis donc, vous voyez, en vérité et jusqu'à la moëlle, mon grand frère bien aimé,
votre petite sœur, votre fille [...] Et quand je serai moniale donc ! [...] »
Huysmans avait conservé la dépêche du 19 mars 1907 lui annonçant l'arrivée à Dourgne du
« Petit Oiseau ».

426

Lettre de Marguerite de Czarniewska a J.-K. Huysmans, Hosterwitz, 27 juin
1906. — B.N., Ars., Ms. Lambert 36 (7).

Dans une lettre à Léon Leclaire (26 juillet 1906), Huysmans parle de ses relations épistolaires avec une dame d'honneur de la cour de Saxe qui, ayant refusé de répondre à une vocation cistercienne, puis perdu son fiancé à la veille de son mariage, voulait définitivement renoncer à la vie mondaine et lui demandait des conseils. Mlle de Czarniewska, de famille polonaise, avec des parents français (sa mère était cousine de Mgr de Cabrières, évêque de Montpellier), avait lu *En route* : « Je suis un Monsieur Durtal en jupons, mais beaucoup plus coupable, car je n'ai jamais perdu la foi, et le mal que je fais, je le fais en connaissance de cause... » Une correspondance fut échangée entre eux en 1906-1907 ; la dernière lettre de Mlle de Czarniewska est du 12 mai 1907. Elle s'orientait vers les fondations du P. Cestac, à Anglet.

427

LETTRE DE L'ABBÉ OLIVIER SAVATON A J.-K. HUYSMANS, Tours, 27 avril 1903. — Ms. Lambert 35.

Remercie Huysmans d'avoir contribué, par ses livres, à l'orienter vers la vie monastique. Profès de Solesmes, abbé de Saint-Paul de Wisques, Dom Augustin Olivier Savaton (1878-1965) est l'auteur d'une biographie de Dom Delatte.

428

L'ORDINATION A TOURS, 6 juin 1903. Photographie. — B.N., Ars., Ms. Lambert 35.

Sur cette photographie figurent les abbés Olivier Savaton et Philippe Bertault qui, en 1958, évoqueront leurs souvenirs dans une correspondance passée ensuite dans la collection P. Lambert.

« Qui eût pu penser que J.-K. avait conservé la lettre de cet obscur diacre... », écrira l'abbé de Wisques.

429

L'ABBÉ PHILIPPE BERTAULT. Photographie. Vers 1955. — B.N., Ars., Fonds P. Lambert.

Dédicace autographe à Pierre Lambert. L'abbé Philippe Bertault (1879-1970), connu surtout comme balzacien, entretenait aussi un culte fervent pour la mémoire de J.-K. Huysmans. Il remplaça l'abbé Mugnier comme « aumônier » de la Société J.K. Huysmans à partir de 1945.

VIII

HUYSMANS
ET L'ACADÉMIE GONCOURT

On sait que, jeune auteur de *Marthe*, J.-K. Huysmans est entré en relations avec Edmond de Goncourt, le maître auquel il avouerait un peu plus tard : « [...] si j'ai eu l'ambition d'écrire, c'est à vos livres que je la dois. » Ses lettres à Edmond de Goncourt sont empreintes de reconnaissance, de cordialité et d'une très réelle admiration pour les œuvres que celui-ci continuait à produire et qu'il se plaisait à lui envoyer, en particulier pour le *Journal*. Réciproquement, Goncourt le traitait avec une amitié un peu paternelle, l'accueillant dès la réouverture du « Grenier » en 1884, et rangeant son exemplaire d'*A rebours* dans la vitrine de ses livres préférés.

Mais il y avait de la part de chacun des réserves vis-à-vis de l'autre, ce qui n'est pas pour étonner, ni du pessimiste Huysmans, ni d'Edmond de Goncourt, dont la plume se faisait parfois acérée. La conversion de Huysmans laissait Goncourt sceptique. Certaines œuvres lui déplaisaient, comme *En ménage*, à propos de quoi il écrivait : « Ce Belge avec ses ascendances hollandaises me semble descendre des cours de tabagie d'Ostende, avec leur vaisselle à pisse et à dégueulis. » De son côté, Huysmans a jugé Goncourt naïf et peu psychologue. Le rite des réunions dominicales, dans la maison d'Auteuil, l'agaçait. « Encore si on pouvait expédier ses dévotions et filer dare-dare. Mais ce n'est pas possible, faut rester jusqu'au bout ! » confiait-il à Gustave Guiches (R. Baldick, *Vie de J.-K. H.*, p. 143.) On se le représente comme Léon Daudet l'a malicieusement décrit : « Il fallait voir Huysmans dans un coin du Grenier, allumant une cigarette comme pour chasser un insecte, cherchant à s'évader par petits pas feutrés et coulant vers son interlocuteur un regard de martyr qui eût voulu se faire bourreau. » (A. Billy, *Les Frères Goncourt*, pp. 426-427.)

Pourtant, en dépit de ces mutuelles réticences, le fait est qu'Edmond de Goncourt a placé et maintenu Huysmans sur la célèbre liste des futurs membres de la Société littéraire des Goncourt et que Huysmans, premier président de la société devenue Académie Goncourt, a fidèlement servi la pensée du fondateur. Il eut d'autant plus de mérite à assumer cette fonction que, lorsqu'il fut sollicité par ses confrères, il espérait encore s'établir définitivement à Ligugé, et qu'ensuite, de retour à Paris, sa santé ne tarda pas à se détériorer. La lecture des nombreux ouvrages candidats au prix Goncourt lui parut souvent accablante. Mais il l'assura avec constance et sut rallier les suffrages de ses confrères en faveur des œuvres sur lesquelles son choix s'était arrêté.

F.P.

430

FÉLIX BRACQUEMOND. Le Grenier. Huile sur panneau. Novembre 1891. 39 × 28 cm. — Archives de l'Académie Goncourt, en dépôt à la Bibliothèque de l'Arsenal.

Pour renouer avec la tradition de ses réceptions littéraires du dimanche, abandonnée depuis quelques années, E. de Goncourt avait fait aménager le second étage de son hôtel du boulevard Montmorency par l'architecte Frantz Jourdain. Les trois pièces avaient été réunies en deux pièces communiquant par une baie. Le tableau de Bracquemond montre la perspective de la plus grande pièce, dont le fond était occupé par un divan, surmonté de dessins de Gavarni, et le plafond orné d'un foukousa rose et vert.

431

EDMOND DE GONCOURT. Journal. Année 1894. Manuscrit. — B.N., Mss., n. a. fr. 22448, fol. 100-101.

Voulant laisser un « inventaire » littéraire du « Grenier », E. de Goncourt le décrivait tel que le représente le tableau de Bracquemond : « De l'andrinople rouge au plafond, de l'andrinople rouge aux murs, autour de portes, de fenêtres, de corps de bibliothèques peints en noir, et sur le parquet un tapis ponceau semé de dessins bleus ressemblant aux caractères de l'écriture turque ».

432

LE « GRENIER » : LA PETITE CHAMBRE. Photographie. — Archives de l'Académie Goncourt, en dépôt à la Bibliothèque de l'Arsenal.

Au centre, la double chaise balançoire. A gauche et à droite de la baie, le corps de bibliothèque contenant les éditions originales de Balzac, Hugo, Musset, Stendhal et des exemplaires de luxe de contemporains, Daudet, Flaubert, Loti, Zola. Parmi ces livres aimés figurait un exemplaire d'*A rebours* décoré par Raffaëlli d'un portrait de Huysmans, « enlevé dans un beau et coloré relief, et donnant la constriction de corps du nerveux auteur ». (E. de Goncourt, *Journal*, manuscrit. B.N., Mss., n. a. fr. 22448, fol. 206.)

433

EDMOND DE GONCOURT DANS LE « GRENIER », 1891. Photographie Dornac. — B.N., Est., Eo 88 b.

A l'entrée du petit salon, E. de Goncourt est assis sur la double chaise balançoire, qui « berce les châteaux en Espagne des songeries creuses ». (*Journal*, année 1894.)

434

EDMOND DE GONCOURT A SA TABLE DE TRAVAIL. Photographie Dornac. — B.N., Ars., Fonds P. Lambert.

Encadrés avec la photographie, envoi d'Edmond de Goncourt à Huysmans et carte annonçant une réouverture du « grenier » le dimanche 11 novembre 1894.

435

LETTRE DE J.-K. HUYSMANS A GUSTAVE GEFFROY, s.d. [12 février 1895]. — Archives de l'Académie Goncourt, en dépôt à la Bibliothèque de l'Arsenal.

Huysmans malade, ne pourra assister au banquet offert à Edmond de Goncourt à l'occasion de sa promotion au grade d'officier de la Légion d'honneur : « Cela m'ennuie, j'eus voulu le faire, pour notre maître à tous, le vrai artiste qu'est de Goncourt ».

Travaillant alors à *En route*, il ajoutait : « Ce que j'ai de peine à carder cette filasse ».

436

L'ACADÉMIE DES GONCOURT. LES HUIT. Extrait de *L'Illustration*, samedi 1ᵉʳ août 1896, pp. 82 et 96. — Archives de l'Académie Goncourt, en dépôt à la Bibliothèque de l'Arsenal.

Au décès d'Edmond de Goncourt, la liste des membres de la « Société littéraire des Goncourt » avait été arrêtée à huit noms par le fondateur : Alphonse Daudet, le seul « rescapé » de la liste de 1874, Gustave Geffroy, Paul Margueritte, Joris-Karl Huysmans, qui avait remplacé en 1883 Philippe de Chennevières, Léon Hennique, Rosny aîné, Rosny jeune, Octave Mirbeau.

L'article commentant la gravure rappelle le sobriquet d'« académiette » ironiquement appliqué par Emile Faguet à la société voulue par Edmond de Goncourt.

437

LA SOCIÉTÉ DES GONCOURT DANS LE SALON DE LÉON HENNIQUE. Photographie. (Contretype.) — B.N., Ars., Fonds P. Lambert.

438

EUGÈNE CARRIÈRE. Portrait d'Edmond de Goncourt. Huile sur toile. Juin 1892. 44 × 36 cm. — Archives de l'Académie Goncourt, en dépôt à la Bibliothèque de l'Arsenal.

Donné par l'artiste à l'Académie Goncourt, ce portrait a figuré au domicile de Huysmans, siège officiel de la Société des Goncourt, c'est-à-dire successivement au 60, rue de Babylone, puis au 31, rue Saint-Placide.

439

SOCIÉTÉ LITTÉRAIRE DES GONCOURT. Registre des séances. Manuscrit. — Archives de l'Académie Goncourt, en dépôt à la Bibliothèque de l'Arsenal.

A l'issue du procès qui avait opposé les exécuteurs testamentaires d'Edmond de Goncourt à ses héritiers naturels, la Cour d'appel de Paris avait débouté ces derniers et validé le testament créant la Société littéraire des Goncourt. Des huit membres de la future académie désignés par E. de Goncourt, l'un, Alphonse Daudet, était mort. Ce furent donc sept écrivains qui se réunirent pour la première fois chez l'un des exécuteurs testamentaires, Léon Hennique, rue Decamps, le 6 avril 1900.

Doyen d'âge, Huysmans fut nommé président, malgré sa réticence : « Je ne me suis pas retiré à Ligugé pour être sur les routes à tout bout-de-champ et lâcher un travail en train, comme cette *Sainte Lydwine* à quoi je suis *acoquiné,* pour aller chaque mois à Paris présider un dîner et m'occuper de choses qu'un autre peut faire à ma place ». (L. Descaves, *Les Dernières années de J.-K. Huysmans,* p. 102.)

Les premières pages du registre des séances permettent de suivre la présence et l'action de Huysmans. Sa dernière apparition aux déjeuners Goncourt date du 31 octobre 1906. Le folio 39 porte l'annonce de son décès.

440

LETTRE DE J.-K. HUYSMANS A LUCIEN DESCAVES. Ligugé, 24 mars 1900, 4 p. — B.N., Ars., Ms. Lambert 21 (17).

Une amitié sans épanchements mais sûre liait les deux écrivains depuis 1882 (voir n° 146). Au jugement de Huysmans, Descaves, son cadet de treize ans, était « rêche et probe ». (L. Descaves, *Les Dernières années de J.-K. H.,* p. 49.) Il le fit élire à l'Académie Goncourt en avril 1900 et se donna le plaisir de le lui annoncer. Secrétaire de la jeune compagnie, Descaves travailla avec Huysmans en toute confiance réciproque à la mettre en état de fonctionner. Quelques années plus tard, apprenant la mort de Huysmans, « le rude sous-officier, si peu démonstratif, fondit en larmes ». (Baldick, *Vie de J.-K. H.,* p. 403.) Il eut l'émotion, à quelques jours de là, d'apprendre que Huysmans l'avait désigné comme son exécuteur testamentaire.

Dans cette lettre, antérieure à l'élection de Descaves, Huysmans se plaint de la tournure que prend l'« affaire Goncourt », « qui serait à pouffer, si cela ne présageait pas de singulières intrigues ». Paul Margueritte recommandait Elémir Bourges : « Ah ! non, par exemple ! — Dans ce genre-là, alors, je vote pour Péladan dont *Le Vice suprême* est tout de même plus fort ! » En fait Bourges allait être élu, en même temps que Léon Daudet et Descaves.

441

J.-K. HUYSMANS ET DESCAVES A LIGUGÉ. Photographie. — B.N., Ars., Fonds P. Lambert.

Lucien Descaves a évoqué dans ses souvenirs les séjours qu'il fit près de Huysmans à Ligugé, en 1899, 1900 et 1901. Il notait avec plaisir que son ami s'était ouvert à la nature. Avec bien des réserves, toutefois : « Dans l'après-midi, nous avons fait une courte promenade sur les bords du Clain, maintenant familiers à Huysmans [...] Comme je célébrais les charmes de cette accointance, du moins pendant l'été, il s'arrêta pour rouler une cigarette, me jeta un regard en dessous et dit : « Evidemment... mais des boîtes de bouquinistes tout le long, comme sur les quais, rendraient l'endroit plus avenant encore ! » (L. Descaves, *Les Dernières années de J.-K. H.,* p. 109.)

La conversation entre les deux amis a souvent porté sur l'Académie Goncourt. Lucien Descaves a témoigné de l'exactitude de Huysmans dans l'accomplissement de ses fonctions de président : « Aucun litige, aucun abus de pouvoir, aucune infraction aux volontés des Goncourt ne se produisirent tant qu'il vécut ». (Cité par G. Chastel, *J.-K. Huysmans et ses amis,* 1957, p. 271.)

442

LETTRE DE LÉON HENNIQUE A GUSTAVE GEFFROY, s.d. [février 1903]. — Archives de l'Académie Goncourt, en dépôt à la Bibliothèque de l'Arsenal.

N° 441

Le décret validant les dispositions testamentaires d'Edmond de Goncourt ayant été signé, Hennique annonçait une prochaine réunion des membres de la Société, fixée par Huysmans.

443

Société littéraire des Goncourt. Statuts et règlement intérieur, 1903. 2 fascicules et 1 manuscrit reliés en maroquin tête-de-nègre. In-8°. — Archives de l'Académie Goncourt, en dépôt à la Bibliothèque de l'Arsenal.

De la main de Huysmans, sur le manuscrit du règlement, quelques modifications et les quatre derniers articles. Ce manuscrit a appartenu successivement au Dr Lucien-Graux et à Gérard Bauër.

444

ACADÉMIE GONCOURT. Déclaration de changement de domiciliation. Brouillon, de la main de Huysmans. 5 mars 1904. — Archives de l'Académie Goncourt, en dépôt à la Bibliothèque de l'Arsenal.

Le siège de la Société littéraire des Goncourt était transféré au nouveau domicile de son président, 31, rue Saint-Placide.

445

J.-H. ROSNY AINÉ. Notes sur A. Daudet [...] Joris Karl Huysmans. Manuscrit. — B.N., Ars., Ms. 15218.

Rosny aîné, de son vrai nom Joseph Henri Boex, et Huysmans avaient tous deux fréquenté l'hôtel du boulevard de Montmorency où demeurait et recevait Edmond de Goncourt. Plus tard, ils furent collègues à l'Académie Goncourt. Ils ne sympathisaient pas. Huysmans reprochait à Rosny, qu'il qualifiait d'« homme mal élevé », d'avoir participé au « manifeste des Cinq » contre Zola (voir nos 65 et 66), peut-être même de l'avoir rédigé. Il jugeait superficielles les connaissances scientifiques de l'auteur de *La Guerre du feu*. Les notes de Rosny aîné en vue de ses chroniques et de *Torches et lumignons* tracent un portrait pittoresque et humoristique de Huysmans, au physique et au moral : « [...] il exhalait parfois des propos amers, aigres et pleins de termes péjoratifs. A première vue avec son front bizarre, son crâne planté de cheveux gris qui ressemblaient à quelque plumage ras et ras, ses yeux ronds et fureteurs, il faisait penser à des oiseaux de nuit, chouettes ou chats huants ». Mais il reconnaissait que son œuvre était « savante, intense et riche en minuscules trouvailles ».

446

LE RESTAURANT CHAMPEAUX en 1910. Deux cartes postales. — B.N., Est., Oa 545 Fol.

Ravagé par une explosion de gaz en 1898, le restaurant Champeaux avait été reconstruit à son ancien emplacement, place de la Bourse ; on avait reconstitué le salon pompéïen et le jardin d'hiver.

Les déjeuners Goncourt eurent d'abord pour cadre le Grand Hôtel. Mais en 1903, les académiciens se réunissaient au restaurant Champeaux, très réputé. C'est là que, le 21 décembre 1903, fut décerné pour la première fois le prix Goncourt, attribué à John-Antoine Nau, pour *Force ennemie*.

447

LETTRE DE JOHN-ANTOINE NAU A J.-K. HUYSMANS, Saint-Tropez, 22 février 1905. — B.N., Ars., Ms. Lambert 28 (46).

Eugène Torquet, ancien navigateur, qui écrivait sous le nom de plume de John-Antoine Nau, fut en 1903 le premier lauréat du Prix Goncourt pour son roman *Force ennemie* dont le pessimisme dut séduire Huysmans. Nau lui fut reconnaissant de son soutien et continua à correspondre avec lui. En 1905, lui envoyant son plus récent roman, il expliquait sur un ton très huysmansien ses hésitations pour en trouver le titre : « Je l'avais mis à cinq sauces différentes avant de me décider pour le vague coulis : « Prêteur d'amour » ».

448

LÉON FRAPIÉ. La Maternelle. [Couverture illustrée par Steinlen.] — Paris, Librairie universelle, 1904. In-8°. — B.N., Impr., Rés., p. Y². 2709.

Huysmans tenait cette œuvre pour « un maître livre ». (Cf. A. Billy, *Huysmans et Cie*, Bruxelles, 1963, p. 187.)

449

Lettre de Georges Darien a Lucien Descaves, Paris, 18 mai 1907. — B.N., Ars., Ms. 15198 (76).

Romancier, dramaturge, pamphlétaire, fondateur du journal *L'Escarmouche* qui vécut quelques mois, Georges Darien (1862-1921) posait auprès de Descaves sa candidature au « fauteuil » laissé vacant par la mort de Huysmans. Le fait semble piquant si l'on se rappelle que le même Darien avait publié, peu après *Sous-offs*, un livre intitulé *Les Vrais sous-offs*, peut-être pour bénéficier du succès du livre de Descaves.

L'élection du successeur de Huysmans fut difficile. Une première séance permit de choisir 4 candidats parmi les 12 qui étaient en lice. Une seconde séance rassembla une majorité sur le nom de Jules Renard.

Pierre Lambert au travail.

PIERRE LAMBERT
AU TRAVAIL

Grâce à la générosité de Mme Pierre Lambert, il a été possible de réunir un peu de ce qui constituait le cadre de travail de Pierre Lambert, qu'il s'agisse d'objets et de meubles de son domicile personnel ou de la célèbre lampe qui éclairait ses lectures dans sa librairie « chez Durtal », rue Jacob. On y retrouve partout Huysmans, parce que Pierre Lambert ne vécut jamais en dehors de Huysmans.

On a retenu parmi ses documents innombrables le dossier d'Anna Meunier, maîtresse de Huysmans, pour fournir un exemple de sa méthode :

la recherche des pistes,

la quête aux informations de première main (il conservait souvent le double de ses propres lettres pour le joindre à la réponse),

les renseignements d'identité sur le personnage,

les photographies qu'il faisait tirer en plusieurs exemplaires,

les informations sur les descendants,

les précautions dont il s'entourait et qui étaient des avertissements aux chercheurs qui lui succéderaient.

Une place à part a été réservée aux fichiers. Seules, les fiches concernant Anna Meunier ont été retirées, mais il faut savoir que P. Lambert avait ainsi mis en fiches tout ce qui était de nature à éclairer la vie et l'œuvre de Huysmans, véritable travail de bénédictin, poursuivi jour après jour pendant quarante ans. Les fiches comportent d'ordinaire une référence aux dossiers, ce qui permet de consulter avec fruit le fonds Lambert.

Dans chacun de ses dossiers de travail, on retrouve de nombreuses annotations, indices de travaux en préparation qu'il ne voulut jamais mener à terme, estimant qu'il restait encore trop de questions en suspens.

HUYSMANS A LA BIBLIOTHEQUE NATIONALE

Département des livres imprimés et Département des périodiques.

Les œuvres imprimées de Huysmans peuvent être consultées à la Bibliothèque Nationale. On trouvera la liste et les cotes des ouvrages entrés avant 1922 dans le tome 75 du Catalogue Général des livres imprimés. Les différents suppléments de ce catalogue comportent les ouvrages entrés depuis cette date.

Les articles publiés par Huysmans dans les revues et les journaux peuvent être retrouvés, selon les cas, dans les collections du Département des imprimés ou dans celles du Département des périodiques.

Département des manuscrits.

Y sont conservés un certain nombre de manuscrits des œuvres de Huysmans :

A rebours
En route
La Cathédrale
Sainte Lydwine (fragments).

A ces manuscrits d'œuvres, on doit ajouter des lettres de Huysmans ou reçues par lui et en particulier :

Lettres à Léon Leclaire
Lettres à Dom Thomasson de Gournay
Lettres de Boullan à Huysmans
Lettres à Emile Zola
Lettres à Edmond de Goncourt.

Bibliothèque de l'Arsenal.

Dans le fonds général de cette bibliothèque, se trouvent de nombreuses œuvres de Huysmans, et aussi un recueil manuscrit de lettres à l'éditeur Stock et à divers correspondants.

Mais surtout on y trouve le fonds constitué et légué par Pierre Lambert, qui représente une documentation considérable, dont voici un aperçu très sommaire.

Manuscrits des œuvres suivantes :

Le Drageoir à épices
Sainte Lydwine (fragments)
Les Foules de Lourdes (placards corrigés)
Divers articles en manuscrits ou placards corrigés
Carnets de notes, de voyage et feuillets de Journal intime

Lettres à Georges Landry
Lettres à Mme Théophile Huc
Lettres à Arij Prins (copies)
Lettres reçues par Huysmans de nombreux correspondants
Recueils de lettres de Huysmans ou adressées à l'écrivain (copies rassemblées par P. Lambert), avec des documents annexes
Documents manuscrits et imprimés relatifs au satanisme et à l'occultisme
Suite de notes et pièces diverses sur l'abbé Boullan
Documents rassemblés par Huysmans sur les saints et la liturgie
Documents biographiques et iconographiques concernant Huysmans et les personnes qu'il a connues
Dossiers d'articles de presse réunis par Huysmans
Livres provenant de la bibliothèque de Huysmans
Œuvres de Huysmans et ouvrages le concernant
Fichier chronologique établi par P. Lambert.

QUELQUES OUVRAGES SUR J.-K. HUYSMANS
DEPUIS L'EXPOSITION DE 1948

DAOUST (J.). — *Les Débuts bénédictins de J.-K. Huysmans.* Editions de Fontenelle, Abbaye Saint-Wandrille, 1950.

HUYSMANS (J.-K.). — *Correspondance [avec] Madame Cécile Bruyère, abbesse de Sainte-Cécile de Solesmes,* publiée et annotée par René Rancœur (extrait de « La Pensée catholique », n° 13). Paris, Editions du Cèdre, 1950.

VEYSSET (G.). — *Huysmans et la médecine.* Paris, Les Belles Lettres, 1950.

HUYSMANS (J.-K.). — *Lettres inédites à E. Zola,* publiées et annotées par P. Lambert. Genève, Droz, 1953.

COGNY (Pierre). — *J.-K. Huysmans à la recherche de l'unité.* Paris, A.-G. Nizet, 1953.

LAVER (James). — *The First decadent, being the strange life of J.-K. Huysmans.* London, Faber and Faber, 1954.

BALDICK (Robert). — *The Life of J.-K. Huysmans.* Oxford, Clarendon Press, 1955.

GOTTA (Italo). — *J.-K. Huysmans à l'étranger.* Notes pour une bibliographie italienne sur J.-K. Huysmans. *Bulletin de la Société J.-K. Huysmans,* n° spécial, 1955.

HUYSMANS (J.-K.). — *Lettres inédites à E. de Goncourt,* publiées et annotées par P. Lambert. Paris, A.-G. Nizet, 1956.

HUYSMANS (J.-K.) — *Lettres inédites à C. Lemonnier,* publiées et annotées par G. Vanwelkenhuyzen. Genève, Droz, 1957.

CHASTEL (Guy). — *J.-K. Huysmans et ses amis.* Documents inédits. Paris, B. Grasset, 1957.

COGNY (Pierre). — *Le « Huysmans intime » de H. Céard et J. de Caldain.* Paris, Nizet, 1957.

BALDICK (Robert). — *La Vie de J.-K. Huysmans,* traduite de l'anglais par Marcel Thomas. Paris, Denoël, 1958 (réédition, 1973).

LOBET (Marcel). — *J.-K. Huysmans ou le témoin écorché.* Lyon, E. Vitte, 1960.

Joris-Karl Huysmans. — *Les Cahiers de la Tour Saint-Jacques,* VIII, 2ᵉ éd., 1963.

HUYSMANS (J.-K.). — *Lettres inédites à J. Destrée.* Texte et notes de G. Vanwelkenhuyzen. Genève, Droz, 1967.

BELVAL (Maurice M.). — *Des ténèbres à la lumière.* Etapes de la pensée mystique de J.-K. Huysmans. Paris, G.-P. Maisonneuve et Larose, 1968.

DUPLOYE (Pie). — *Huysmans.* Paris, Desclée de Brouwer, 1968.

ISSACHAROFF (Michaël). — *J.-K. Huysmans devant la critique en France.* Paris, Klincksieck, 1970.

TRUDGIAN (Helen). — *L'Esthétique de J.-K. Huysmans.* Réimpr. Genève, Droz, 1970.

LIVI (François). — *J.-K. Huysmans. « A rebours » et l'esprit décadent.* Paris, A.-G. Nizet, 1972.

HUYSMANS (J.-K.). — *Lettres inédites à l'abbé Ferret,* présentées par E. Bourget-Besnier. Paris, A.-G. Nizet, 1973.

ZAYED (Fernande). — *Huysmans, peintre de son époque.* Paris, A.-G. Nizet, 1973.

CRESSOT (Marcel). — *La Phrase et le vocabulaire de J.-K. Huysmans.* Réimpr. Genève, Slatkine, 1975.

Mélanges Pierre Lambert consacrés à Huysmans. Paris, A.-G. Nizet, 1975.

HUYSMANS (J.-K.). — *Lettres inédites à Arij Prins. 1885-1907,* publiées et annotées par Louis Gillet. Genève, Droz, 1977.

MAINGON (Charles). — *L'Univers artistique de J.-K. Huysmans.* Paris, A.-G. Nizet, 1977.

Joris-Karl Huysmans [colloque du Mans, 1977], n° spécial de la *Revue des sciences humaines,* 2e et 3e trimestre 1978 (Université de Lille III ; Paris, J. Corti).

Bulletin de la Société J.-K. Huysmans, du n° 21 (1949) au n° 68 (1978).

TABLE DES ILLUSTRATIONS

TABLE DES MATIERES

ACHEVÉ D'IMPRIMER LE
5 JUIN 1979 PAR
L'IMPRIMERIE CENTRALE
COMMERCIALE (J. LONDON,
IMPRIMEUR) A PARIS